Sirocco:
mission kakapo

À toi, qui vas bientôt naître

© hélium / Actes Sud, 2014
Loi n° 49 956 du 16 juillet 1949 sur les publications destinées à la jeunesse
helium-editions.fr
N° d'édition : FI 175
ISBN : 978-2-330-03090-2
Dépôt légal : premier semestre 2014

Illustration de couverture : Ping Zhu
Conception graphique : Marie Sourd – AAAAA-atelier.org

Sirocco:
mission kakapo

Emmanuelle Grundmann

hélium

1,
Skraaark!

23 mars 1997

Un petit craquement. Puis un autre. Il sentit les parois qui l'entouraient et l'empêchaient de faire tout mouvement céder d'un coup. L'air frais pénétra dans cette bulle qu'il occupait depuis maintenant trente jours. Il tenta de se tortiller sur sa droite, sans grand succès. Sur sa gauche... impossible !

De drôles de sons lui parvenaient, mais, parce qu'ils étaient trop étouffés, il peinait à décrypter leur signification.

... difficile... éclore ?

... quoi faire ?

... mourir !

À ce mot plus sonore que les autres, il sursauta, et la coquille ivoire qui l'abritait se brisa en trois morceaux, libérant son corps minuscule depuis trop longtemps prisonnier.

... tard... pas le sauver...

Il tendit l'oreille, mais ne comprit pas grand-chose à ce charabia qui petit à petit s'estompa, jusqu'à disparaître. Il resta, tremblant, en compagnie du seul silence, quand, à travers ses yeux encore à demi clos, il distingua une énorme forme bienveillante, ronde et verte, qui lui versa une mixture tiède et liquide dans le gosier. Il eut d'abord un mouvement de recul avant de réaliser que ce n'était pas mauvais du tout. Alors qu'il aurait aimé en avoir un peu plus, la chose ronde et verte se posa délicatement sur lui, sans l'écraser. C'était presque agréable, il se sentit entouré de chaleur et, blotti sous cette forme, il s'endormit avec, à ses côtés, les débris de sa propre coquille. Régulièrement, il hoquetait et cela faisait sursauter la chose au-dessus de lui. Son souffle, difficile et rauque, l'empêchait de dormir profondément et il se retournait régulièrement, dans l'espoir qu'un changement de position permette à l'air de couler plus aisément dans son corps. Peine perdue.

Les sons étranges revinrent.

... respire mal...

... chétif... ... couveuse ?

Soudain, il se sentit soulevé par deux étranges formes palmées et chaudes, couleur rosée. N'en ayant jamais vu auparavant, il frissonna. Ferma les yeux. Se recroquevilla. La peur l'envahit. Il s'attendait à être croqué tout rond par cette bête bizarre et recula le plus possible, jusqu'à buter contre un obstacle. Il poussa. Rien. Il était coincé. C'était fini, il allait être dévoré.

Peut-être que ce n'était pas si douloureux, après tout, de se faire manger. Il se sentit ballotté. Mais... pas de brûlure, pas de douleur. Rien. Juste une odeur autour de lui qui semblait avoir changé sans qu'il soit capable d'en identifier la cause. Et soudain un bruit. Sourd.

Puis... le silence.

Et s'il ouvrait un œil, juste un, pour voir à quoi ressemblait l'estomac de cette bête ?

Blanc. Tout était blanc. Tout était si blanc autour de lui, et si lumineux, qu'il referma vite son œil ébloui. Il l'imaginait plutôt sombre, ce grand inconnu dans lequel on atterrit après avoir été gobé tout rond. Peut-être parce que, les yeux fermés à l'abri de sa coquille, il n'avait jamais connu autre chose que l'obscurité. La lumière picotait un peu trop : il décida de garder les yeux clos.

Malgré la peur qui l'étreignait, il tenta de bouger une patte, puis l'autre.

Rien ne semblait entraver ses mouvements.

Il tenta autre chose, secoua la tête. Cela fonctionnait aussi.

Un bond ! il allait essayer un bond vers le côté.

Soit l'endroit était vaste, soit il n'avait pas disparu dans l'intérieur de la bête bizarre. Il décida alors de courir afin de s'échapper. Il se redressa, s'étira pour préparer sa course, et s'élança.

Patatras! il trébucha en arrière, et s'écroula en se cognant le crâne contre une solide paroi. Le choc lui fit rouvrir les yeux et, ainsi affalé sur le dos, il aperçut une chose difforme et floue penchée au-dessus de lui. L'effroi le tétanisa.

— Il est blessé ?

— Je ne crois pas. Passe-moi le stéthoscope, s'il te plaît.

La forme s'approcha, devint plus nette, et il réalisa alors que les sons qu'il percevait sans en comprendre la signification s'échappaient d'un orifice au milieu de cette chose ovale, recouverte sur son sommet d'un plumage gris et ornée de deux immenses billes bleues le fixant.

Mais qu'est-ce que c'est, ça, encore ? Aaaah!...

La terreur le submergea de nouveau, car ce truc surmonté de cinq tiges qui s'agitaient dans tous les sens était également revenu!

Cette fois, c'est fini, je vais être dévoré tout cru.

Mais la main humaine ne fit «que» poser un petit objet plat, circulaire et très froid sur son minuscule corps quasi nu. Un objet relié aux deux côtés du visage par des fils noirs.

— Il respire difficilement, mais son cœur bat régulièrement.

— Il n'a pas été blessé par le choc ?

— Je ne vois aucune trace. Il doit juste être un peu étourdi, mais rien de grave. Du moins je l'espère.

— Ouf, me voilà rassurée. Tu vas lui faire une piqûre ?

La sonnerie d'alarme intérieure devint plus sourde, les muscles de l'oisillon se détendirent légèrement, mettant fin aux tremblements qui agitaient son corps. Il observait. Il ne comprenait pas d'où provenait cette deuxième voix, plus douce, haut perchée et lointaine, car, lorsqu'elle s'élevait dans l'air, l'orifice du visage qui le scrutait restait fermé à double tour.

— Oui, avec le stress du voyage de son nid jusqu'au laboratoire et ses problèmes respiratoires, je préfère. Tu peux m'apporter la seringue qui est sur le bureau, s'il te plaît ?

— Tiens, la voici. Je vais préparer la couveuse en attendant.

Le monstre-main s'approcha. Il devint énorme, si gros, que le poussin n'en distingua plus les contours. Aïe ! Une douleur aiguë le transperça, depuis son flanc jusqu'aux extrémités de ses pattes. Il se sentit tomber. Tomber dans un trou sans fond. Un trou d'abord flamboyant, puis de plus en plus sombre. Il perçut encore cette compression de chaque côté de son corps qui ne ralentissait aucunement sa chute. Puis les couleurs changèrent de nouveau, s'éclaircirent. Rouge, orangé, jaune citron... et soudain, sa chute s'arrêta. Il était tombé au fond de ce puits interminable. Un fond moelleux d'où irradiait une chaleur si douce qu'il s'endormit sur-le-champ.

— Tu crois qu'on a bien fait, Don ?

— C'était la seule solution, t'as bien vu, l'autre œuf avait été cassé et dévoré ; et puis, celui-ci a peiné à éclore. Il est si chétif. C'est pas étonnant.

— Mais je ne peux pas m'empêcher de penser à sa mère. En revenant au nid, elle ne trouvera qu'un amas de coquille brisée. On lui a volé son petit, quand même !

— Tu as vu ses soucis pour respirer ? Il n'aurait certainement pas vécu longtemps si nous ne l'avions pas récupéré. D'ailleurs, je ne sais même pas si nous arriverons à le sauver... je partage ton sentiment, mais ces œufs sont trop précieux. On ne pouvait pas risquer de voir celui-ci être dévoré aussi.

— J'espère que tu as raison.

— Ne t'en fais pas, Deidre, je suis sûr que nous avons fait le bon choix ; nous allons tout faire pour qu'il survive. Ce soir, j'appelle les zoologues d'Auckland, ils ont l'expérience de l'élevage en couveuse. Et le vétérinaire aussi. Il va survivre !

— Je croise les doigts. Je reste près de lui de toute façon, au cas où.

— Je viendrai te relayer vers cinq heures demain matin. D'ici là, n'hésite pas, appelle-moi si tu vois quoi que ce soit d'anormal.

Tandis que Don quittait la pièce pour aller téléphoner à ses collègues, Deidre fit chauffer de l'eau dans la bouilloire pour se préparer un thé vert. Elle en versa une partie dans une énorme tasse et le reste dans un thermos. La nuit allait être longue, et même si la jeune femme savait qu'elle ne s'endormirait pas, en raison de l'angoisse qui la tenaillait, le thé brûlant l'aiderait à garder ses facultés aussi aiguisées qu'en pleine journée.

La nuit lui parut interminable, mais se déroula sans encombre. À l'abri dans la couveuse, rendu groggy par la piqûre, l'oisillon avait dormi tant bien que mal. Bien que sifflante, sa respiration était restée régulière et n'avait pas inquiété la chercheuse, qui notait toutes les dix minutes sa position, ses éventuels mouvements et son rythme respiratoire.

Cinq heures venaient de sonner à la pendule accrochée au-dessus de la porte du laboratoire où elle avait passé la nuit lorsque, soudain, il se mit à bouger. D'abord presque imperceptiblement, comme un frisson. Recroquevillé sur lui-même, il étira son cou décharné, ouvrit un œil. Puis les deux.

Le timide «Skraaark!» qui s'échappa alors du fond de sa gorge fit sursauter Deidre, qui se précipita dans l'autre partie de la maison, vers la chambre de Don.

— Don! Viens vite. Il a crié! hurla-t-elle en tambourinant à la porte.

— Comment? Crié? J'arrive, lança-t-il à sa collègue, en sortant vêtu de son pyjama rayé, ses cheveux gris, habituellement si bien peignés, dressés de manière incontrôlable sur son crâne.

— Son cri, c'était comment... sa respiration...?

— Plaintif, je dirais. Comme s'il avait du mal à sortir ce son. Mais il vient tout juste d'éclore, c'est normal, non?

Dans le laboratoire, Don attrapa son stéthoscope pour ausculter le précieux pensionnaire qui ne pesait pas plus de trente grammes.

— C'est mieux qu'hier. Mais la respiration est toujours difficile. J'ai discuté deux heures avec le véto hier soir. C'est ce que je craignais: il a une maladie respiratoire. S'il franchit le cap du mois, alors il sera probablement sauvé. Mais d'ici là, la moindre rechute peut être fatale.

— Qu'est-ce qu'on fait?

— On commence par un traitement, avec des piqûres et des massages respiratoires si sa condition empire. On doit le surveiller vingt-quatre heures sur vingt-quatre, au cas où. Laisse-moi le temps de me jeter sous la douche et je te relaie. Tu as une mine terrible, faut que tu ailles dormir.

— Facile à dire. Avec tout ça, ça risque pas...

— Pas le choix. On va avoir besoin de tout le repos possible pour affronter le mois qui s'annonce. Allez, t'inquiète pas, il va s'en sortir ! Je reviens dans un quart d'heure et tu pourras aller te coucher. Je te réveillerai vers midi.

Jour et nuit, les deux chercheurs, qui travaillaient ensemble depuis près de huit ans, se relayèrent grâce à des litres de thé, de café et de bonbons à l'eucalyptus qui les tenaient éveillés, malgré la fatigue et le stress qui s'accumulaient petit à petit. Le duvet gris sale qui recouvrait le corps de leur protégé laissait désormais entr'apercevoir quelques plumes d'un magnifique vert prairie. Pourtant, rien n'était acquis. Et si chaque lever de soleil signifiait pour Don et Deidre une journée et une nuit de gagnées sur la maladie, les doutes quant à l'avenir de l'oisillon restaient entiers. La quatrième semaine entamée, il respirait toujours difficilement, s'étranglant parfois, jusqu'à ce que Don effectue sur son corps si frêle un de ces massages dont il avait le secret. Néanmoins, ces événements angoissants parurent peu à peu s'espacer dans le temps, et la respiration, constatèrent les deux scientifiques improvisés nounous, n'était plus autant sifflante. Il tenait maintenant sur ses deux pattes disproportionnées par rapport à son corps rondouillard qui grossissait désormais de près de trente grammes par jour, mais ses longs doigts étaient encore tous les quatre tournés vers l'avant, ne lui assurant qu'un équilibre éphémère. Après un régime à base de bouillie, administrée de force par l'intermédiaire d'une seringue, il se nourrissait seul, picorant graines, raisins, morceaux de pomme et autres fruits découpés en minuscules cubes à l'aide de son bec déjà massif et tranchant. Ces repas déclenchaient souvent quelques crises de fou rire chez Don et Deidre car, bien peu assuré sur ses pattes, il trébuchait et s'étalait régulièrement, le bec en avant, dans son assiette. C'était surtout sa tête, tout ébouriffée par la chute, et son expression un brin ahurie lorsqu'il se relevait qui faisaient s'esclaffer les deux chercheurs. Ces réactions ne manquaient pas de vexer le petit être plumé qui, de jour en jour, finit par s'habituer à ces deux humains qui le dorlotaient et le nourrissaient. L'habitude se transformait, au fil du temps, en un réel attachement.

— Demain, ça fera un mois tout rond que nous l'avons récupéré en forêt. Un mois pile ! lança Don à sa collègue en train de préparer le dîner du malade.

— Je sais. Tu crois qu'on peut se réjouir ?

— Les crises respiratoires s'espacent, il a grossi et commence à se promener dans sa couveuse. C'est prometteur, tout ça. Je pense que la mort a vraiment fini par oublier notre petit protégé ! D'ailleurs, j'ai eu tout à l'heure un appel du ministère de la Conservation, qui demandait si nous avions trouvé un prénom. T'as une idée ?

— Figure-toi que j'y ai déjà pensé durant tous ces jours et nuits. Avec ses origines, on doit trouver un nom de vent, comme pour sa mère ou sa grand-mère.

— Bien d'accord avec toi, mais c'est un mâle... il faut un nom à consonance masculine !

— Qu'est-ce que tu penses de Sirocco ?

— Pas mal. L'idée me plaît. Je la soumettrai aux autres.

Installé dans sa couveuse aux parois de verre, l'oisillon entendit pour la première fois son nom, sans réaliser qu'il allait désormais lui coller à la peau. Depuis quelque temps, il avait appris à assembler, tel un puzzle, les sons qui émanaient des immenses corps aux plumages toujours changeants de ceux qu'il considérait déjà comme ses parents. Finis la peur et les tremblements d'angoisse. Ces deux monstres étaient devenus, dans son esprit, l'équivalent d'un parent, d'une mère, d'un père peut-être, et, lorsqu'ils s'approchaient de lui, il n'essayait plus de les pincer avec son bec ni de les griffer, mais se blottissait sous les mains douces et chaudes qui le terrifiaient naguère. Quant aux bruits que ces êtres produisaient, ils avaient, pour certains, quitté la case «incompréhensible charabia» pour gagner une signification : «amande» ou «fruit» étaient toujours suivis par l'arrivée de petites choses délicieuses à croquer, laissant une sensation sucrée sur la langue. Lorsqu'il entendait ces mots, il ne pouvait s'empêcher de pousser un «Skraaark!» de contentement.

Sirocco avait fini par dompter son environnement. L'horloge tictaquant au-dessus de la porte, le sifflement de la bouilloire ou les sonneries du téléphone ne le faisaient plus sursauter. Quant aux murs et plafond blancs de son «nid», ils ne l'aveuglaient plus. À travers les parois transparentes de sa couveuse, il observait tout ce qui se passait autour de lui, les allées et venues de ses parents comme la ribambelle de papiers colorés collés le long des murs, et sur lesquels semblaient fixés une multitude d'insectes noirs tantôt minuscules, tantôt géants, tous parfaitement immobiles : des lettres, des mots, des phrases.

Surtout, son corps était libéré de cette lourde pierre invisible qui l'oppressait et l'empêchait de respirer, et cela le poussait à faire régulièrement le tour de son domaine en trottinant et en tapant sur les parois de verre avec son bec. Non pas pour s'échapper, mais pour tenter de saisir les choses qu'il voyait de l'autre côté, pour les goûter ou les déchiqueter comme il aimait le faire avec tout ce qui traînait dans sa couveuse. Tissu, couverture en laine, bol en plastique, tout y passait, grâce à son bec recourbé et aussi coupant que des ciseaux.

Aujourd'hui était un grand jour.

Celui des deux parents dont la tête était recouverte de très longues plumes rousses venait tout juste de le sortir de sa boîte transparente pour le déposer sur le sol.

«Brrrrrrrrr, c'est tout froid!» se dit Sirocco, qui n'avait jusqu'alors connu que la douceur des couvertures chauffantes. Si froid qu'il souleva une patte, puis l'autre, pour tenter de se défaire de cette sensation qu'il ne connaissait pas. Après ce manège qui avait provoqué une trille de «Iiiiii!» extasiés et hilares chez Deidre, Sirocco, un brin téméraire mais surtout très curieux, décida d'explorer les limites de cet endroit, beaucoup plus vaste que tout ce qu'il avait pu imaginer.

Bien plus à l'aise sur ses pattes, dont deux doigts avaient commencé à se replier naturellement vers l'arrière, lui assurant un meilleur équilibre, il fit le tour de l'espace, butant dans les coins, cherchant des ouvertures. Aussi, quand il aperçut la porte entrouverte d'un placard, il n'hésita pas une seconde et s'y engouffra.

«Mais... il fait si noir, là-dedans!»

Les yeux de Sirocco peinaient encore à s'adapter à cette obscurité inconnue : une lampe rouge restait allumée en permanence, la nuit, au-dessus de sa couveuse. Avant même de distinguer les détails des objets, carnets, livres et empilement de pots en plastique qui encombraient les lieux, l'oisillon sentit une angoisse l'étreindre.

Le noir. Le trou sans fond. L'estomac du monstre ! Il paniqua. Tenta de s'enfuir, se cogna dans les pots en plastique qui se renversèrent avec fracas, se mit à crier... et fonça droit devant lui, sans se soucier des obstacles. Deidre, qui s'apprêtait à le récupérer, n'eut pas le temps de se baisser : elle sentit un bolide buter contre ses chevilles avant de repartir à quatre-vingt-dix degrés, comme une balle de billard.

— Sirocco, attends, n'aie pas peur, murmura-t-elle.

Mais il ne voulait rien entendre : ses abominables souvenirs se déversaient dans sa tête comme un torrent. Tremblant, il se blottit dans un des coins de la pièce, ne pouvant fuir plus loin. Fourra sa tête entre ses pattes et ferma les yeux. Même lorsque sa mère au plumage roux s'approcha, il échappa à ses deux mains pour foncer se blottir dans un autre coin.

Le manège dura près d'un quart d'heure et c'est seulement à la faveur de fruits rouges et sucrés que Deidre lui tendait avec patience que Sirocco parvint à se calmer.

Le lendemain, il refusa de quitter sa couveuse jusqu'à ce que, abruti par l'ennui, il finisse par accepter que Deidre le repose par terre, tout en évitant soigneusement de s'approcher de l'endroit où le guettait le monstre de ses cauchemars.

Désormais, chaque sortie se terminait par un goûter comprenant de nouvelles choses à manger : tantôt de petits fruits juteux, tantôt des feuilles, ou encore des graines parfois croustillantes, parfois moelleuses. Don et Deidre notaient soigneusement le moindre de ses progrès et, alors que l'oisillon allait fêter ses trois mois, ils s'apprêtèrent à prendre une importante décision.

— Que t'ont dit les biologistes du ministère de la Conservation ce matin ? questionna Don.

— Ils craignent qu'un poussin élevé à la main soit trop imprégné et n'arrive plus à s'adapter à la forêt, une fois libéré. Et...

— Et ?...

— Ils aimeraient qu'on relâche Sirocco maintenant, puisque son état de santé n'est plus inquiétant.

— Le relâcher !

— Oui, exactement. Mais il ne connaît rien de la forêt ! Comment va-t-il trouver à manger ? J'ai essayé de leur expliquer, mais ils pensent qu'il faut agir le plus vite possible et le réintroduire maintenant dans son milieu naturel.

— Attends, ne t'énerve pas, on va pas faire ça d'un coup, de toute façon. C'est impossible. On va le laisser explorer les alentours de la maison, et s'il va plus loin on le surveillera, t'inquiète pas.

— Mais comment tu veux qu'on le surveille ? Tu sais comme moi que le ministère a refusé que l'on pose des radio-émetteurs sur les autres oiseaux. Et une fois dans le sous-bois, on risque de le perdre. Qu'est-ce qui se passera alors ? Mais même ça, ils ne veulent pas l'entendre.

— Attends, je te dis, t'emballe pas. J'ai oublié de te dire que le gouvernement a accepté qu'on essaie une de ces nouvelles puces électroniques pour Sirocco. J'ai reçu un mail avant-hier et ils m'envoient demain par avion tout le matériel pour l'essai. Je sais que tu t'inquiètes mais tu verras, tout ira bien. Et puis, on ne peut pas le garder indéfiniment dans la maison, il a grandi, il a besoin de sortir, de rencontrer ceux de son espèce !

— Je sais, mais… ça fait si longtemps qu'on vit avec lui, pour lui… je vais être morte d'inquiétude quand il sera dehors.

— On aura l'antenne et le collier radio-émetteur à puce, et avec cette panoplie on le suivra à la trace.

— Et… on commence quand ? interrogea Deidre d'une voix tremblante d'émotion.

— Demain soir !

2.
La forêt

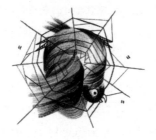

La nuit était tombée depuis longtemps, mais Deidre n'arrivait pas à fermer l'œil. Elle s'était d'abord plongée dans son roman : *Mister Pip* contait les aventures de la jeune Mathilda, qui vivait dans une île du Pacifique ravagée par la guerre. Elle avait espéré réussir à s'endormir le nez sur son bouquin, comme à son habitude, mais au bout de la deux-cent-cinquantième page, toujours rien. Son esprit ne cessait de vagabonder vers Sirocco et les dangers qui l'attendaient dans la forêt.

Une tisane ! Voilà ce qu'il lui fallait, une bonne tisane relaxante à la camomille et à la mélisse ! La jeune scientifique glissa ses pieds dans les chaussons de feutre offerts par sa sœur à Noël, s'enroula dans son grand châle et se dirigea vers la cuisine pour faire chauffer de l'eau. En passant dans le couloir qui reliait les chambres aux pièces à vivre de la maison, elle ne put s'empêcher de jeter un œil par la porte vitrée dans le laboratoire plongé dans l'obscurité.

Elle distingua tant bien que mal la silhouette de Sirocco qui se découpait dans la lumière de la lampe infrarouge au-dessus du petit enclos qui lui servait désormais de cage, installé sur le sol, dans le fond de la pièce. Le bec enfoui dans son plumage, il était profondément endormi. Seule sa respiration faisait frémir son petit corps. Deidre sentit l'angoisse faire un double nœud à son estomac et des larmes monter à toute allure à ses yeux. Non, il ne fallait pas. Elle ne devait pas pleurer. Il ne pouvait pas habiter là indéfiniment. Il devait partir découvrir la vie sauvage, avec les autres. S'il était resté avec sa mère, à deux mois et demi il aurait déjà quitté le nid pour une vie en toute indépendance, se raisonna-t-elle. Tâchant de se convaincre, elle parvint à s'arracher à la contemplation de son oisillon qui avait tellement changé depuis son arrivée. Alors à peine plus gros qu'une balle de tennis – trente grammes sur la balance –, il pesait désormais un peu plus de deux kilos. Une fois sa tisane préparée, elle retourna dans sa chambre et s'installa dans le fauteuil, près de la fenêtre. Elle attrapa un sac de tissu et en tira une couverture qu'elle était en train de tricoter avec de la laine d'opossum, qu'elle affectionnait tant pour sa douceur. Elle savait que le cliquetis de ses aiguilles de bambou et la concentration requise pour ne pas louper une maille étaient les seules choses qui parviendraient à la calmer. Les heures s'égrainèrent jusqu'à ce que les premiers rayons de soleil orange vif tombent sur la couverture blanc et gris qui avait grandi de trente centimètres durant la longue nuit et sur sa chevelure rousse, son visage enfin apaisé par quelques instants de sommeil. Des coups frappés délicatement à sa porte la réveillèrent en sursaut.

— Deidre, t'es debout ?

— J'arrive, j'arrive. Un instant.

— L'avion ne va pas tarder à atterrir, j'aurai besoin de ton aide pour tout décharger.

— Cinq minutes. Donne-moi cinq minutes et je suis là.

— O.K., je t'attends sur la plage.

Quelques instants plus tard, alors qu'elle enfilait ses chaussures sur le pas de la porte de la maison, qui donnait sur la baie, un ronronnement vint perturber le roulis des vagues. Elle leva les yeux et aperçut le bimoteur blanc et bleu qui effectua un virage au-dessus de la forêt à l'extrémité droite de la baie, avant de descendre et rebondir sur le sable pour s'arrêter quelques mètres plus loin. L'hélice tournait encore tandis que Deidre accourait pour aider Don et le pilote à décharger les caisses en plastique contenant le ravitaillement pour la semaine, le matériel scientifique destiné à Sirocco et la pile de courrier qu'ils ne pouvaient recevoir autrement, cet avion étant leur seul lien avec les autres îles de la Nouvelle-Zélande.

— Rien à signaler? cria le pilote dans le brouhaha du moteur pourtant au ralenti.

— Tout est là: le courrier, les poubelles, et la liste de courses pour la semaine prochaine. Tout est O.K., merci! répondit Don en serrant la grosse paluche du pilote qui remontait déjà à bord de son appareil.

— À plus! Bonne semaine.

— Bye! crièrent en chœur Don et Deidre, empoignant les caisses pour les porter jusqu'à la maison dont ils apercevaient, à une centaine de mètres, le toit vert bouteille recouvert de panneaux solaires: il dépassait de la végétation coiffant toute l'île à l'exception de ce ruban de sable blanc, au nord-est de Whenua Hou[1].

— T'as une petite mine, dis donc...

— Hmmmmmh, grommela Deidre, qui n'avait pas trop envie de penser à la journée qui s'annonçait.

— Je vais te faire un bon café, on a même du pain frais aujourd'hui!

1. Whenua Hou signifie «nouvelle terre» en māori. Son nom anglais est Codfish Island, «l'île de la Morue». *(Toutes les notes sont de l'auteure.)*

Les courses furent déballées et rangées dans les placards en bois qui tapissaient les murs de la cuisine ouverte sur la vaste salle à manger. Don avait ouvert le matériel scientifique dans le labo et lancé un café qui gargouillait sur le bec de gaz.

— Deidre ! Tu peux éteindre ? J'arrive.

— C'est fait, répondit-elle en s'installant sur une chaise devant sa tasse fumante.

— Incroyable ! Regarde, les gars d'Auckland ont encore réduit la taille des radio-émetteurs.

— Mmmmm...

— Allez, arrête de faire cette tête. Aujourd'hui, promis, on va seulement le faire vadrouiller sur la terrasse et dans la petite clairière derrière le labo. Il va avoir la trouille, il n'ira pas loin. En plus, t'as vu, c'est bizarre pour un oiseau nocturne, mais il a peur de l'obscurité. Suffira de le faire sortir vers dix-sept heures, et à peine le soleil couché, la frousse le fera rentrer fissa dans son enclos, j'en suis sûr. On laissera tout le temps la porte ouverte.

— Et le collier, tu vas lui mettre quand ?

— Je ne sais pas encore. On va voir comment il réagit ce soir et puis on avisera.

— Je vais aller lui préparer son repas, répliqua Deidre qui n'avait pas envie de s'éterniser sur le sujet et se leva, la tasse à la main.

Dix-sept heures sonnèrent pourtant bien trop tôt.

Bien que fort occupé à fouiller dans les lambeaux de tissu et les branches disposées dans son enclos, aux cinq petits bips de l'horloge, Sirocco s'arrêta net et leva la tête. Il avait appris que cette musique allait de pair avec l'arrivée de délicieuses choses à manger. Il fixa la porte de ses gros yeux noirs aussi ronds et brillants que des billes, jusqu'à ce qu'elle s'ouvre sur ses parents. Mais Deidre n'avait rien dans les mains.

« Où sont les graines, les fruits ? »

Il regarda d'un côté, de l'autre. Mais rien, pas d'assiette.

— Qu'est-ce que c'est que ça ? J'ai faim ! se plaignit-il dans un « Skraaaark ! » retentissant qui ne fit même pas sursauter Don et Deidre.

Quelle déception !

— Mais... qu'est-ce que vous faites ?! Eh ! Oh ?! Je... Non, je veux rester ici ! Mais... quoi ? On va où ? gémit l'oisillon en se tortillant et en donnant des coups de pattes pour tenter de se libérer de l'emprise de Don. Sans succès.

Tandis qu'il se débattait, Deidre ouvrit la porte du laboratoire donnant sur la terrasse en bois et une sorte de clairière au fond de laquelle se trouvait le cabanon abritant les toilettes sèches.

Un souffle d'air frais gorgé d'humidité et d'odeur de feuilles en décomposition chatouilla les narines de Sirocco, complètement paniqué. Don le déposa lentement sur la terrasse. Deidre et lui firent quelques pas de côté, comme si de rien n'était, afin de laisser le champ libre à l'oiseau. Ils ne dirent pas un mot, de peur de gâcher les premières sensations de Sirocco avec une angoisse perceptible au creux de leur voix.

Figé dans l'encadrement de la porte, il observa. Ses yeux allaient de gauche à droite, de droite à gauche tandis que les plumes beiges qui encadraient son bec comme une épaisse moustache frémirent. Il était partagé entre la peur et la curiosité. Outre les odeurs, c'étaient les motifs et les couleurs qui l'interpellaient. Lui qui ne connaissait quasiment que le blanc du laboratoire, il était entouré de parois aussi vertes que les plumes qui avaient remplacé son duvet gris sale et le recouvraient presque entièrement. Après plusieurs minutes, la curiosité l'emporta sur la peur et Sirocco s'avança jusqu'à la limite de la terrasse. Il amorça un mouvement de la tête pour mordiller ce qu'il pensait être un mur recouvert d'une fresque verdoyante mais... ne rencontra que du vide et s'affala dans l'herbe, au pied de la terrasse.

— Pffffft ! la paroi est plus loin, on dirait qu'elle a reculé pile au moment où je me suis avancé, soupira Sirocco, allongé sur le dos, les pattes en l'air.

— Eh, mais... c'est tout mouillé par terre, en plus !

s'exclama-t-il en se relevant d'un bond pour s'ébrouer et se défaire de cette humidité pas du tout agréable qui pénétra jusqu'à sa peau, sur laquelle résidait encore un peu de duvet pas vraiment imperméable.

«Le mur! Allez...!»

Il avança, le bec en avant. Rien, là où il pensait rencontrer une matière solide. Quelques pas de plus. Toujours rien. Bizarre. Quatre enjambées. Un drôle de truc frôla ses plumes et s'y colla. Il secoua énergiquement la tête, mais ne se débarrassa pas de la sensation désagréable. Il fit un pas de plus. Beurk, il en avait encore plus collé sur la tête! Mais c'est quoi?!

— Skraaaaaark! cria-t-il, affolé, en sentant de minuscules pas lui chatouiller le haut du crâne.

— T'as vu, Don? s'esclaffa Deidre, pliée en deux devant le spectacle.

— Oui, parvint-il à articuler entre deux hoquets. Sa première rencontre avec une toile d'araignée!

— Attends, regarde, l'araignée est maintenant sur sa tête et il n'arrive pas à s'en débarrasser. On l'aide?

— Non, non, laisse. Il va bien devoir se débrouiller tout seul!

À force de contorsions, d'agitation, et les yeux fermés – c'était plus sûr, c'était tellement poisseux, ce truc! –, Sirocco atterrit dans un buisson de graminées où, en se frottant à des tiges, il parvint à se débarrasser de l'intrus et des fils collants. Tout chamboulé par cette péripétie, il n'avait pas remarqué qu'il était enfin parvenu jusqu'au mur imaginaire qui n'était autre que la lisière de la forêt. Il rouvrit les yeux sur un objet marron géant qui ressemblait aux branches que ses parents déposaient régulièrement dans son enclos. Il y planta son bec recourbé et aiguisé, puis tira. Mais rien ne vint, le machin ne bougea pas. Il lâcha sa prise et inspecta la chose. Il en fit lentement le tour, sans rencontrer ces petites feuilles rondes ou ovales qu'il aimait mâcher.

Il retenta le coup de bec. Un essai. Deux.

« Tiens, je peux en détacher un bout. Oh, oh !... et ça sent bon, en plus !... Et si... ? » Le bec solidement cramponné à l'écorce, Sirocco avança une patte et la referma sur la surface bombée. Il tenta de soulever son corps grâce à ces deux appuis, comme il l'avait déjà fait dans le labo, lorsqu'il escaladait les chaises. Ça fonctionnait ! L'autre patte attrapa le tronc un peu plus haut, puis l'oisillon leva le bec quelques centimètres au-dessus et se hissa ainsi, petit à petit, patte après bec, jusqu'à un embranchement. Là, une partie s'élevait presque à la verticale tandis que l'autre s'étalait sur le côté. Il hésita, et choisit la deuxième direction : il lui suffisait de marcher doucement sur ce support presque horizontal.

Les odeurs de sève et d'humus l'enivraient. Il se tint immobile, tête baissée, les plumes de ses joues aussi longues et effilées que des moustaches effleurant l'écorce, comme pour le guider. Il se gorgea de ces senteurs qui ressemblaient à celles des branches de l'enclos, tout en étant bien plus puissantes.

Tswee... tsweee... Une mélodie sifflée vint briser cette rêverie odoriférante. Sirocco leva la tête et aperçut, quelques mètres devant lui, une créature pas plus grosse que ce fruit nommé « pomme », et de la même couleur que ce duvet qui recouvrait son corps jusqu'à ce que ses belles plumes apparaissent. Tout en chantant, la chose l'observait. Intrigué, l'oisillon avança une patte. Puis l'autre. Mais l'animal, un pihoihoi, sans doute effrayé par cet oiseau huit à neuf fois plus gros que lui, s'envola alors qu'il n'avait pas encore posé la patte sur la branche.

— Je veux le suivre. Moi aussi, je veux déplier mes ailes et me jeter dans le vide !

Patatras !

Ses grosses pattes s'agitèrent tandis qu'il tentait désespérément de battre des ailes. Mais rien à faire, il ne put redresser la barre et s'écroula un mètre plus bas, dans la mousse qui tapissait le sol autour de l'arbre.

Deidre s'était élancée pour rattraper Sirocco avant qu'il ne saute, mais Don lui agrippa le bras pour l'en empêcher.

— Laisse-le apprendre tout seul !

— Mais il ne peut pas voler. Il ne sait pas, il va finir par se blesser !

— Il faut qu'il découvre ça par lui-même. Après plusieurs tentatives, il va bien comprendre !

— Mais s'il se fait mal ?... on ne peut pas prendre le risque.

— Allez, arrête de jouer les mères poules, je suis sûr qu'il va apprendre très vite.

Don n'avait pas fini sa phrase qu'il fit signe à Deidre de regarder leur petit protégé : Sirocco, à peine étourdi, avait de nouveau escaladé l'arbre jusqu'à la branche horizontale et, penché au-dessus du vide, s'apprêtait à braver les airs pour la deuxième fois.

— J'y arriverai. Oui ! j'y arriverai.

Allez...

Plouf !

Le succès ne fut pas davantage au rendez-vous cette fois-ci et son corps retomba mollement sur le sol spongieux.

— Aïe.

Une troisième fois. Puis une quatrième. Et toujours le même résultat.

« Skraaark, skraark !... » s'exclama-t-il de colère et de frustration au bout de la sixième tentative, avant de se remettre debout puis de lisser méthodiquement, une à une, ses plumes à l'aide de son bec recourbé.

La tête chargée d'interrogations et d'étoiles miniatures qui tourbillonnaient encore, Sirocco n'avait pas remarqué qu'un autre oiseau l'observait attentivement depuis plusieurs minutes, sa silhouette confondue avec la végétation enrobant la pierre derrière laquelle il se tenait immobile...

3.
La dynastie
des vents

— Regarde ! s'exclama Deidre. T'as vu, là, à côté du sentier, derrière la pierre ? On dirait... Hmmm, je ne sais pas.
T'as tes jumelles ?

— Oui, tiens ! répondit Don en les lui tendant. Ce plumage très jaune... je pense que tu as raison, ça ne peut
être qu'elle...

— Oui, c'est elle ! Les deux touffes de plumes citron en
croissant de lune au-dessus des yeux, la longue queue
et la petite tache grise presque imperceptible sur le bec,
pas de doute ! C'est Zéphyr ! Tu crois qu'elle serait venue
voir comment se porte Sirocco ?

— Ce serait incroyable, mais pas impossible. Attends,
regarde ! Sirocco vient de la repérer...

— T'as la mini-caméra ? Il ne faut pas rater ça.

Pendant que Don commençait à filmer la scène, Zéphyr

fit deux pas sur le côté : elle se tenait désormais à moins de dix mètres de Sirocco.

Ce dernier n'avait rien manqué du manège de cette drôle de créature rondouillarde et aussi verte que les feuilles de salade que lui donnait parfois Deidre. Mais le troisième pas en avant de Zéphyr alerta ses sens et, d'un tour de cou un peu vif, il pivota dans sa direction.

La surprise de voir ce gros oiseau presque face à lui le fit sursauter.

— Mais... qu'est-ce que c'est ? Qui est-ce ?

Les questions se bousculaient jusqu'à ce que sa mémoire retrouve un souvenir, une image emmagasinée dans un recoin de son cerveau.

« On dirait la bête que j'ai aperçue un jour, dans le laboratoire, derrière la porte du placard que Don avait laissée ouverte ! » s'étonna-t-il.

Mais dans l'excitation du moment, il ne remarqua pas que la silhouette de ses souvenirs et celle de Zéphyr différaient légèrement, tout comme les couleurs de leur plumage.

Son logiciel interne en était pourtant certain, c'était la même créature. Il était loin de se douter que ce qu'il avait vu derrière la porte était sa propre image dans un miroir.

Bien décidé à comprendre ce que cette bête lui voulait, Sirocco s'avança avec précaution sur le chemin, dans sa direction. Un pincement d'angoisse le poussait à ne pas brusquer les choses, ne sachant pas s'il s'avançait en territoire ami ou ennemi, bien que le calme de la bête et son plumage le portent à croire qu'elle ne pouvait être que bienveillante. Malgré cette prudence, Sirocco n'eut pas le temps d'avancer d'un mètre que Zéphyr faisait volte-face et s'enfuyait sur le sentier à pas soutenus. Sa silhouette fut aussitôt avalée par la forêt déjà sombre en cette fin de journée.

«Skraaaark!» cria l'oisillon déçu. Don et Deidre, fascinés, se gardèrent bien de s'en mêler.

Du haut de ses trente centimètres, Sirocco était impressionné par cet édifice végétal qui semblait vouloir griffer le ciel. Pourtant, autour de la maison, le sable, le vent marin et les embruns freinaient la croissance des arbres, qui ne dépassaient guère les cinq à six mètres de haut. Des lilliputiens, comparés aux vénérables rimus du centre de l'île !

Dans des odeurs de fougères froissées, de sel et de sève, doucement, la nuit s'installa, gommant les contours de la végétation. Une nuit à faire frémir Sirocco qui n'avait toujours pas apprivoisé l'obscurité. Il regarda le chemin où cet oiseau mystérieux avait disparu, et qui s'enfonçait dans un vaste trou aussi noir que ses cauchemars. Il hésita. Avança sa patte droite. La ramena vers lui. La gauche. Mhmm. Pas sûr...

«Mais cet inconnu... Qui c'est? Qu'est-ce qu'il veut?» se demandait l'oisillon en avançant de nouveau la patte droite. «Je dois savoir!» s'exclama-t-il intérieurement après un instant de réflexion. D'abord hésitant, son corps dodu ayant encore du mal à rester en permanence en équilibre sur ses deux pattes démesurées, il parvint, en quelques enjambées, à trouver une démarche lui permettant de suivre l'être mystérieux sans trop trébucher sur les cailloux et l'entrelacs d'herbes et de racines affleurant au sol. Un sentiment étrange et nouveau l'envahit, un sentiment de légèreté qui prenait le pas sur ses angoisses nocturnes. Était-ce le fait d'être seul, sans ses parents adoptifs qu'il avait depuis quelques instants totalement oubliés? Il lui prenait comme une envie de sautiller, de crier, de battre des ailes et de se rouler dans la terre, là, dans ces fougères odoriférantes. Pourtant, cette liberté nouvelle que découvrait Sirocco n'était qu'illusoire car, sans qu'il s'en soit rendu compte, Don s'était discrètement élancé sur ses pas. Pas question de laisser Sirocco seul en forêt! Deidre voulait déjà rattraper son jeune explorateur pour le ramener au laboratoire mais les arguments de Don avaient fini par l'en dissuader.

— On ne peux pas le laisser! Imagine qu'il lui arrive quoi que ce soit, qu'il se perde, qu'il tombe dans un trou, n'importe quoi... On doit le récupérer avant qu'il lui arrive quelque chose! lança la scientifique d'une voix étranglée par l'émotion.

— Arrête! Je comprends, mais regarde : c'est Zéphyr qu'il veut suivre. C'est juste incroyable. On ne peut pas gâcher ça. Et puis, tu te souviens, Sirocco doit apprendre à vivre *tout seul*, dans la nature!

— Je sais, marmonna Deidre en essuyant vivement une larme qui dégringolait sur sa joue. Mais il est encore si jeune. C'est un peu brusque, comme départ. Il n'a même pas encore son collier! T'avais dit toi-même qu'il n'irait pas loin ce soir, pour une première fois dehors...

— Allez, ne t'en fais pas. On a l'habitude de suivre ces oiseaux en forêt, la nuit. Je ne le perdrai pas de vue. Je te promets. Toi, retourne au labo, tu vas lui flanquer la frousse avec ton inquiétude! la taquina Don.

— Bon, mais prends la radio et tiens-moi au courant, que je ne sois pas morte de trouille toute la nuit, dit-elle en se précipitant au laboratoire pour attraper la paire de talkies-walkies et le sac à dos accroché sur la patère, derrière la porte d'entrée. Il contenait tout le nécessaire de terrain : carnet de notes, boussole, bouteille d'eau, imperméable et le bonnet de laine à pompon qu'elle avait tricoté et offert à son collègue pour Noël.

Une fois qu'il eut vérifié que les batteries des deux radios étaient bien chargées, Don, coiffé de son bonnet du même vert que le plumage de Sirocco, emboîta le pas au fuyard, tout en prenant garde à bien maintenir ses distances. Il ne voulait pas effrayer les deux oiseaux, surtout Zéphyr, bien moins habituée aux humains. Bien qu'ayant pris du retard sur eux, il n'eut pas de mal à les retrouver, tous deux suivant à pied le chemin qui serpentait d'abord à travers la forêt lilliputienne avant de s'enfoncer dans la montagne.

Éclairés par les faibles rayons de lune qui parvenaient à percer le feuillage, les troncs tortueux des tōtaras et des kāmahis semblaient s'éveiller. Mais le balancement de ces arbres rares, qu'on ne rencontre qu'en Nouvelle-Zélande, qui s'accompagnait de longs grincements à faire hérisser les poils et les plumes des caractères les plus endurcis, n'effraya pas les deux oiseaux, même pas Sirocco, bien trop concentré sur sa filature. Don, lui, était un habitué des virées nocturnes au cœur de Whenua Hou qu'il avait appris à connaître sur le bout des doigts au fil des années passées à étudier et à protéger les oiseaux. D'ailleurs, il n'y avait vraiment pas de quoi avoir la frousse. L'île était estampillée «Sans Prédateurs», ce qui la rendait paradisiaque pour des oiseaux incapables de voler comme Sirocco ou Zéphyr. Ce n'étaient pas une sauterelle ou un de ces canards qui pataugent dans les zones des marécages, ni même ces escargots carnivores aussi gros qu'une balle de golf, qui allaient les importuner ou les inquiéter !

Après une avancée de deux cents mètres environ, le sentier, qui sinuait doucement entre les arbres, devint de plus en plus escarpé, bordé par des troncs et rochers dont les dimensions augmentaient au fur et à mesure, comme des ballons de baudruche que l'on gonflerait petit à petit. Sirocco devait faire de petites pauses. Ses pattes n'étaient pas encore assez musclées et cela faisait seulement deux mois qu'elles avaient trouvé leur morphologie définitive. De plus, comme il était bien dodu, avec un corps disposé à l'horizontale – tout le contraire des manchots, droits comme des I –, le risque pour Sirocco de plonger la tête la première dans la litière de feuilles était grand. Aussi peinait-il parfois à garder l'équilibre, surtout lorsque la fatigue l'envahissait. Heureusement, ses pattes de compétition lui assuraient désormais une formidable stabilité au sol, malgré quelques trébuchements – son entraînement ayant pour l'instant été limité au tour du laboratoire, soit dix mètres sur quatre et demi !

Et malgré tout, comme le nota fébrilement Don dans son carnet, Sirocco avait du mérite, car Zéphyr filait comme le vent ! Néanmoins, elle se retournait régulièrement, comme pour s'assurer de la présence de l'oisillon, mais ne pipait mot et continua d'un pas ferme à avaler les mètres vers une destination mystérieuse.

Quant à lui, il entendait le bruit de succion répété des chaussures de Don qui s'enfonçaient dans le sol de plus en plus moussu et gorgé d'eau. Si cette petite musique l'avait d'abord étonné, lui qui n'avait jamais foulé autre chose qu'un sol carrelé, la mélodie l'avait ensuite rassuré. Elle semblait l'encourager à poursuivre son épopée.

Le paysage autour de lui changea encore, les arbres rabougris avaient laissé place à de plus en plus de ratas, de kāmahis et de conifères dont les troncs noueux étaient emmitouflés de lichens et de mousses. Ils semblaient se pencher comme animés sur le chemin qui creusait un tunnel dans cette matière vivante, omniprésente et étourdissante, pour se refermer derrière la petite troupe. La forêt les engloutit, les absorbant dans son odeur d'humus imbibé de pluie et de moisissures, étrangement enivrante. Dans ce sous-bois, ici et là, les feuilles fraîchement tombées crissaient et craquaient sous les pas des oiseaux qui, quelques centimètres plus loin, s'enfoncèrent dans une onctueuse moquette d'herbes et de mousses. Était-ce la concentration, ou le fait que dans la clarté de la lune l'oiseau parvienne sans difficulté à distinguer chaque détail du monde qui l'entourait ?... Il ignorait pourquoi la peur de la nuit semblait l'avoir abandonné, au moins pour un temps. Ce n'était pas le moment de se poser des questions : il ne devait pas perdre de vue l'être devant lui qui paraissait connaître les sentiers sur le bout des plumes, tournait ici à droite, près du grand tronc de rimu, là à gauche, après le rocher de granit en forme de coque de navire retournée.

Plic, plic... le tintinnabulement de la pluie commença à résonner sur la surface luisante des feuilles de kāmahi, mais aucun des deux oiseaux ne s'en soucia. De son sac, Don extirpa un imperméable dont la couleur jaune citron était estompée par la nuit, et s'en revêtit en prenant bien soin de protéger son talkie-walkie, puis il glissa son carnet dans une pochette plastique qu'il referma à l'aide d'un zip avant de la fourrer dans sa poche.

Au moment où il s'apprêtait à repartir, il aperçut Sirocco, figé, sur le chemin.

Le jeune oiseau avait senti une présence frôler sa tête.

Immobile, il leva les yeux mais, malgré sa bonne vision nocturne, ne parvint pas à distinguer autre chose qu'un embrouillamini de feuillages. Alors qu'il allait faire un pas en avant pour reprendre Zéphyr en filature, le bruit recommença. Un imperceptible froissement de l'air, qui décoiffait la touffe de duvet d'enfance subsistant au milieu des belles plumes vertes et jaunes sur le sommet de son crâne. Il réalisa que la forêt s'était tue.

— Hum, hum... Il y a quelqu'un?

Silence.

Tout était tellement calme qu'il pouvait entendre son propre cœur battre la chamade. Aurait-il la frousse? Non! Impossible. La frousse, c'était uniquement pour les minus. Lui, il avait son bec recourbé et pointu et huit griffes acérées pour faire reculer qui oserait l'intimider! Il secoua ses pattes et balança sa tête, le bec en avant, pour se persuader de l'efficacité de ses armes. Fort de ces encouragements intérieurs, il reprit sa marche. Mais après cinq foulées, la présence se manifesta à nouveau sur le haut de sa tête. Une fois, deux fois... Oubliés, les griffes et le bec! La peur avait pris le dessus et Sirocco, paniqué, sauta sur le bas-côté, dans une épaisse touffe de fougères. Il s'immobilisa, pétrifié.

Une dizaine de minutes s'étaient écoulées et Sirocco n'avait pas bougé une plume. Alerté par l'absence de bruit dans son sillage, Zéphyr s'est immobilisée elle aussi, et observait ce qui pouvait bien retarder son poursuivant.

Puis la lune, dont la clarté avait été absorbée par un épais nuage, éclaira de nouveau le sous-bois de sa lueur blafarde. Ffffft... fffft... le froissement revint, encore plus soutenu et répétitif. Cette fois-ci, l'oiseau parvint à discerner les contours de cet étrange objet volant, un large V irrégulier. Dans le doute, et pétri d'une peur qu'il ne voulait pas admettre, il garda sa posture de marbre, lové au creux de la fougère. Les minutes défilèrent, accompagnées par le frou-frou des drôles de bêtes fendant l'obscurité.

«Comment retrouver l'autre? marmonna Sirocco. Il aura disparu depuis longtemps», se lamenta-t-il, lorsque soudain il entendit un bruissement de feuilles, suivi d'une voix douce qui lui chuchota à l'oreille :

— Ne t'inquiète pas, Sirocco, ce ne sont que des chauves-souris. Des chauves-souris à queue courte qui ne se nourrissent que de minuscules insectes, et certainement pas de gros volatiles comme nous !

— Hein ? Quoi ? Qui c'est ? Qui parle ?

Mais il n'eut pas le temps de se tourner vers cette voix, sortie tout droit du bec de Zéphyr, qu'elle avait déjà disparu, engloutie par la nuit.

Ces quelques mots, bien que mystérieux, le ragaillardirent d'un coup : Sirocco s'extirpa de sa cachette et s'en retourna sur le chemin, juste à temps pour apercevoir le grand oiseau, trottinant à une dizaine de mètres devant lui. Tandis qu'il s'ébrouait, histoire de lisser son plumage après le passage dans les fougères, Zéphyr fit une halte, se retournant pour le fixer de ses yeux brillants.

Vite, vite... hop ! Il finit d'étendre ses ailes, les replia puis, malgré le ballet de ces étranges chauves-souris, repartit à la poursuite de son mystérieux guide. Celle-ci, le voyant de nouveau en route, reprit elle aussi sa course.

Une demi-heure s'écoula : Sirocco slalomait entre les gros rochers lisses et polis comme d'énormes œufs de dinosaure qu'il fallait escalader ou contourner, et la végétation de plus en plus entremêlée. Les lianes et branches tissaient un patchwork végétal au sein duquel il était souvent malaisé de se faufiler, surtout pour Don, six fois plus grand que les volatiles qu'il suivait. Heureusement, le chercheur connaissait la forêt, ses raccourcis et détours, et il parvint à ne pas se laisser distancer, malgré les obstacles.

La pluie accéléra son tempo et le staccato des gouttes sur les feuilles luisantes était désormais si puissant qu'il couvrait tous les autres crissements, sifflements, chuintements et murmures. Don avait fermé sa veste, enfilé des gants en polaire imperméable et rabattu sa capuche sur son bonnet. Il était impressionné par la ténacité de son protégé.

Mais Sirocco commençait à trébucher de plus en plus fréquemment, assailli par la fatigue. Soudain, alors qu'il manquait s'étaler sur une énorme racine qui traversait le sentier comme un serpent, il vit son guide s'arrêter net, au pied d'un tronc ventru enserrant une roche plate et lisse sous laquelle se dessinait une cavité. Sirocco s'approcha avec précaution, ses pattes s'enfonçant dans la mousse devenue presque gluante par l'abondante pluie.

Alors qu'ils n'étaient plus séparés que de deux mètres, Zéphyr se retourna et l'apostropha un peu vivement, pour contrer le brouhaha généré par la pluie :

— Sirocco... Tu t'appelles bien Sirocco ?

Ce dernier ne répondant pas, un brin intimidé et stupéfait de la comprendre, elle continua :

— Si tu es bien celui que je crois, c'est ici que tu es né ! Sous ce grand rimu, dans ce terrier niché sous la roche. C'est ici que la dynastie des vents, notre dynastie, étend ses racines.

4,
Félix

Le jeune oiseau, comme tétanisé, ne sentait pas la pluie, devenue cinglante, détremper son plumage. Il n'entendit pas non plus la tempête s'éveiller, faire grincer les branches du grand rimu et secouer toutes les cimes des arbres alentour, dont les rameaux semblaient jouer les uns avec les autres.

— La... dynastie des vents ? parvint-il à articuler d'une voix rauque.

— Je vais te ra... commença Zéphyr, mais la fin de sa phrase fut étouffée par les larges mains gantées de Don qui avaient agrippé Sirocco. Effrayée, Zéphyr se sauva en courant.

Sirocco se débattit, frappa l'air de ses pattes, tentant de griffer Don, soudain passé du statut de parent adoptif à celui d'ennemi.

«Skraaaark!»

Il tapa du bec, se tortilla. Rien à faire! L'étreinte de Don ne lui laissait aucune chance de s'échapper et il fut fourré sans ménagement dans un sac de toile.

Non! Il voulait savoir. Il *devait* savoir ce que l'autre voulait lui dire.

«Pas dans le sac! Non!!!!!!»

Mais plus il se débattait, plus il sentait de force dans les mains de Don: il atterrit finalement au fond du pochon en lin épais, refermé par un cordon coulissant. Aucune issue! Il avait beau pincer et griffer à droite, à gauche, devant, derrière, le tissu résistait, n'offrant aucune échappatoire. Dépité, malheureux et groggy de fatigue, Sirocco se tassa au fond de sa prison et entendit la voix de Don, étouffée par l'épaisseur du tissu:

— Deidre?... Tu me reçois?

Le talkie-walkie, qui détestait l'humidité, le vent et les arbres interférant avec le bon voyage des ondes sonores, grésilla.

— Deidre, tu me reçois?

— ... Oui... Don... Te reçois... sur 5. Tu es... Sirocco?...

— Oui, aucun souci. Il est avec moi.

— Et... pluie? Ici... tempête... rentrez?

— Je t'entends mal, Deidre. La tempête est trop forte ici

aussi, on rentre. Trop de pluie. Peur que Sirocco tombe malade.

— ... pas compris...

— On rentre, Deidre, on sera là dans pas longtemps!

— Bien reçu, Don... rentrez!... O.K.!

Après avoir soigneusement rangé l'appareil, Don attacha son paquet gigotant à sa ceinture, ajusta sa lampe frontale étanche sur sa capuche et, à grandes enjambées, il rebroussa chemin en direction de la maison.

«C'est ici que tu es né, marmonnait Sirocco, ballotté dans le sac. Je serais né là, sous cet arbre? Insensé! ma maison, c'est au laboratoire, dans mon enclos, avec mes parents. Comment c'est possible? Je ne me souviens de rien, et certainement pas de cet arbre!

» Et pourtant... Il me ressemble, c'est sûr. Et j'ai compris tout ce qu'il a dit... La dynastie des vents, la dy-nas-tie des vents, se répétait-il en boucle, en détachant chaque son.

» Mais qu'est-ce qu'il a voulu dire par là? Je ne comprends rien. Et puis, il ne m'a même pas dit son nom. Comment peut-il savoir où je suis né? Et comment me connaît-il?

» Skraaaaaaaark... je n'y comprends rien de rien!

» Toutes ces questions... Et comment vais-je trouver des réponses, maintenant que je suis au fond de ce truc? Je dois le revoir. Qu'il m'explique! Ah là là... mais comment le retrouver?

» Comment ? »

Tandis que Sirocco se perdait dans ses multiples interrogations, Don avait enfin regagné la maison où Deidre l'attendait près d'un feu de cheminée.

À peine la porte ouverte, elle bondit de son fauteuil pour récupérer le précieux sac. Vite, sortir Sirocco et le frictionner avec une serviette qu'elle avait mise à chauffer devant l'âtre.

— Eh ! le frotte pas trop fort, lui dit Don avec un petit sourire tandis que le jeune volatile émettait un « Skraaaark ! » de mécontentement. Je me suis dépêché, j'ai presque couru sur le chemin.

— Pourvu qu'il n'attrape pas froid... Mais pourquoi es-tu resté si longtemps dehors ?

— C'est un animal sauvage, je te le rappelle, il va devoir apprendre à rester dehors même par mauvais temps, tu sais ! Et puis, je ne voulais pas briser ce qui se passait entre lui et Zéphyr.

— Alors ? Alors, raconte. Qu'est-ce qui s'est passé ?

— Elle a pris le sentier Humbug et, tout le long, Sirocco l'a suivie. Et quand il fatiguait, j'avais l'impression qu'elle le sentait. Alors elle s'arrêtait, se retournait et l'attendait.

— Incroyable ! mais... vous avez été jusqu'où comme ça ?

— Attends, tu ne devineras jamais ! Je n'en croyais pas mes yeux. C'est pour ça que je n'ai pas voulu rentrer tout de suite. C'était trop extraordinaire. Zéphyr nous a conduits jusqu'à son nid.

— Prodigieux! s'exclama Deidre en emmitouflant Sirocco, qui dodelinait de fatigue, dans la serviette, pour le déposer dans la couveuse qu'elle avait rallumée pour la fin de nuit.

— Son nid? Tu veux dire le nid où Sirocco est né, celui de cette année?

— Exactement!

— Mais alors... tu crois qu'elle savait que c'était son petit, lorsqu'elle est venue épier sa première sortie?

— Mmh, acquiesça Don en hochant la tête. Le bol avec les dés de pomme et de kūmara[1], c'est pour Sirocco, je suppose...

— Oui, tiens, donne-le-moi, s'il te plaît. C'est vraiment fabuleux.

Don sentit son estomac gargouiller et tendit les fruits à sa collègue.

— C'est pas très scientifique, je l'admets; mais tout à l'heure, sur le chemin, je me disais que ce n'était probablement pas la première fois qu'elle rôdait autour de la maison.

— Tu penses qu'elle savait que son poussin était ici?

---

1. Nom māori de la patate douce.

— Exactement, je suis même tenté de penser qu'elle nous a suivis lorsque nous l'avons extirpé du nid. Tu te rappelles l'allure qu'il avait, tout ébouriffé ?

— Il a bien changé depuis! murmura-t-elle en lui lissant les plumes du dos.

Si Sirocco avait prêté une oreille, peut-être aurait-il glané quelques réponses aux trop nombreuses questions qui avaient surgi dans sa petite tête depuis son escapade forestière à la suite de Zéphyr. Mais, épuisé par cette longue marche, il s'était endormi comme une souche sous les caresses de Deidre.

Assis près de la cheminée dans les vieux fauteuils élimés, Don enveloppé dans un grand plaid, les deux chercheurs se remémorèrent chacun des moments passés au chevet de Sirocco, en dégustant un gratin de kūmara que Deidre avait préparé. Cette avalanche de souvenirs se poursuivit jusqu'aux premières lueurs de l'aube, tandis qu'ils profitaient d'un feu abondamment nourri des bûches provenant de la réserve, savamment empilées contre le mur nord de la maison.

Les nuages au cœur desquels se tapissait l'orage assombrissaient le matin tandis que la pluie ne cessait de marteler le toit. Six jours durant, le tambourinement intempestif se poursuivit, tantôt en mode pianissimo, tantôt plus fort que des cymbales : un concert de

percussions aquatiques qui transformait chaque discussion en démonstration de crieurs de rue. Six jours
que Sirocco passa sur le rebord de la fenêtre du laboratoire. Après un numéro savant d'escalade qui le faisait
grimper de la chaise à l'étagère regorgeant de livres, il
attendait la visite de son mystérieux guide, le bec collé
à la vitre. Visite qui ne venait pas.

L'après-midi du septième jour, les nuages décidèrent
enfin de lever l'ancre pour laisser place au soleil. Sirocco
trépignait d'impatience.

Il lui fallait retourner en forêt retrouver l'oiseau !

Mais avant toute nouvelle sortie...

Sur la table blanche du laboratoire s'étalaient une multitude de fils noirs zigzaguant et s'entremêlant au milieu de
boîtes, pinces, ciseaux et autres outils. Posé sur le carrelage, appuyé contre l'étagère, une sorte d'arbre en métal
intriguait Sirocco. Ses parents étaient tous deux penchés
sur ce grand désordre totalement inhabituel. Puis, sans
crier gare, Deidre vint attraper Sirocco, qui faisait semblant
de somnoler, pour le déposer au milieu de tout ce bazar.

— Skraaark ! C'est froid ! Qu'est-ce que c'est que ce
truc qui me tire sur les plumes ? criailla l'oiseau, tandis
que Don tentait de lui attacher un sac à dos miniature.

— Tiens-le bien, Deidre !

— Ben oui, j'essaie ! Mais on dirait qu'il n'apprécie pas trop ton petit gadget, Don !... Aïe, mais il fait mal ! Tu peux le récupérer une seconde ? je vais mettre des gants ! s'exclama Deidre dont la main saignait légèrement.

— Bien fait ! Skraaaaaaark !

— Allez, doucement, calme-toi, murmura Don en tenant l'oiseau. C'est rien, ça ne fait même pas mal. C'est juste un peu gênant au début, mais tu vas t'y habituer.

— Ça y est, c'est bon. Je peux le reprendre. Je le tiens. À toi !

— Une aile... allez, soulève un peu l'autre. Sois coopératif, mon coco. On ne veut pas te faire mal !

Mais il se débattit, tourna la tête et tenta d'attraper à l'aide de son bec ces trucs qui le pinçaient. « Skraaaaark ! » Il ouvrit et replia violemment ses ailes. « Skraaaark ! » Rien à faire. Le truc ne s'en allait pas.

— Ça y est, c'est fixé. Attends, je le mets en marche. Vas-y, vérifie sur le récepteur si on reçoit le signal.

Biiiiiip... Biiiiiiip...

D'un seul coup, ils lâchèrent Sirocco, au bord de la crise de nerfs.

— Impeccable, tout fonctionne. Il va pouvoir aller se promener en forêt tout seul comme un grand, maintenant ! lança Deidre, qui s'était faite à l'idée de devoir laisser son petit protégé vivre sa vie.

— J'ouvre la porte ?

— Oui ! C'est bon, je l'amène.

La douce lumière de fin de journée ne s'était pas encore faufilée par la porte entrebâillée que Sirocco avait déjà sauté des mains de sa mère adoptive pour se ruer dehors. Il s'attendait à être aussitôt rattrapé et fourré dans un sac, mais rien de tel ne se passa. D'abord interloqué par cette absence de réaction, il hésita, puis décida finalement d'emprunter le chemin de la dernière fois pour retourner là où l'avait mené son étrange guide.

«Est-ce que c'était ici, à gauche, derrière la racine arquée, ou bien à droite, sous le rocher ?

» Tiens, je ne me rappelle pas être passé sous cette branche...

» Mhmmmmm...»

Il rebroussa chemin, hésita, repartit.

«Ce tronc creux, oui, c'est lui, je le reconnais. C'est la bonne direction !»

Sirocco trottinait tout le long, trop impatient de trouver des réponses à ces innombrables questions qui se bousculaient dans sa petite tête. Cette fois-ci, aucune chauve-souris ne vint l'inquiéter, même lorsque, au bout de deux heures de marche, la nuit se décida à envelopper la forêt dans son grand manteau d'encre.

Quelques mètres encore et il était enfin arrivé à destination.

Mais...

Personne.

Il n'y avait personne près du grand rimu, là où s'étaient cristallisées toutes ses interrogations. Il fouilla, autour du tronc, dessous, dans cette cavité qu'il avait aperçue la dernière fois sans la visiter, dans les buissons alentour.

Rien.

— Skraaaark! skraaark!

Il appela. Il cria.

Attendit une réponse qui ne vint pas.

Il dut se rendre à l'évidence : les lieux étaient déserts.

Il refit le tour de l'arbre à trois, quatre reprises, mais chaque fois, la même conclusion s'imposait. Têtu, Sirocco décida d'élargir ses recherches en fouillant les alentours, en décrivant des cercles de plus en plus larges autour du gros tronc d'arbre. Pas âme qui vive.

Dépité, il s'affala sur une pierre plate envahie de mousse.

Perdu dans ses réflexions, il n'entendit tout d'abord pas le faible tintement métallique.

Agacé par un papillon nocturne bien décidé à se poser sur son bec, le jeune oiseau sortit de ses sombres pensées et perçut soudain ce bruit étrange.

Ching... ching...

Entre la curiosité et la peur, cette fois-ci, Sirocco n'hésita pas une seconde.

«Par là, le bruit vient de cette direction!» se dit-il en s'avançant dans un fourré.

Il progressa ainsi, en s'aidant du bruit et, en l'espace d'une dizaine de «ching», il aperçut la créature qui en était à l'origine, lovée au centre d'une dépression en forme de bol.

— Mais on dirait... cette forme, cette couleur, c'est lui! s'exclama Sirocco en se précipitant sur la silhouette lui tournant le dos.

Alerté par le vacarme de cet intrus se ruant sur lui, l'autre oiseau, deux fois plus gros, le plumage hérissé de colère, fit volte-face.

— Qu'est-ce que c'est? grogna-t-il.

Stupéfait, Sirocco s'arrêta net.

— C'est pas chez toi, ici, tu es sur mon territoire. Allez, ouste, dégage!

Il en fallait plus pour intimider le jeune volatile, qui réalisa alors que plusieurs oiseaux lui ressemblaient.

— Euh... je m'appelle Sirocco, et vous?

— Minus, t'as entendu ce que je t'ai dit? Allez, j'ai autre chose à faire que du baby-sitting, moi! Ouste!

— Euh... Dites, vous ne savez pas où se trouve l'oiseau qui habite à côté de chez vous, près du grand rimu?

Félix l'ignora et continua à jouer sa partition métallique en tournant le dos à l'intrus.

— Vous savez ! sous les racines du rimu, sous le gros caillou ! insista-t-il.

— Dis, tu vois pas que je suis occupé ?

— Ben, justement, vous n'avez pas l'air de faire grand-chose à part ces étranges sons... Vous savez, j'aimerais vraiment le retrouver.

Félix sentit que ce n'était pas la peine de continuer à feindre l'ignorance, le minus ne s'essoufflerait pas et ne cesserait pas de jacasser tant qu'il n'aurait pas obtenu de réponse.

— T'es qui ? grogna-t-il. T'ai jamais vu par ici, toi, lança-t-il en se retournant vers le jeune oiseau.

— Ben, je vous l'ai dit ! je m'appelle Sirocco.

— Sirocco, quel drôle de nom. C'est pas un vent, ça, le sirocco ?

— Euh... oui, peut-être, pourquoi ?

— Bizarre... Et tu cherches ma voisine, Zéphyr ? Tu la connais ?

— Comment vous avez dit ? Séfir ? votre voisine... c'est une fille, alors ?

— Pas Ssséfir, Zé-phyr ! Tu connais même pas son nom ! Eh oui, c'est une femelle !

— Je ne l'ai croisée qu'une fois, et puis, il pleuvait si fort que j'ai dû rentrer dans ma maison en bois avec mes parents. J'ai dû rentrer avant qu'elle ne me dise son nom...

— Tes parents ? Maison en bois, t'as dit ? Bizarre, bizarre... Et pourquoi tu veux la voir, Zéphyr, si tu la connais même pas ? T'es un drôle d'oiseau, toi !

— Avant que mon père ne m'attrape et me ramène à la maison, la... dame a juste eu le temps de me dire que j'étais né sous le grand rimu ; elle a parlé d'une dynastie des vents mais je sais rien d'autre. Je sais même pas ce que ça veut dire !

— Dynastie des vents... grommela Félix.

Puis, comme piqué par une mouche invisible, il changea d'attitude, reprit sa position initiale et entama une nouvelle série de «Ching... ching...».

— Allez, ouste, j'ai des choses à faire. Zéphyr n'est pas, là. J'l'ai pas vue depuis un moment. Ouste, ouste, dégage ! Laisse-moi travailler.

Dépité et agacé par la mauvaise volonté de ce gros plein de plumes pas aimable, Sirocco repartit, tête basse, à travers la forêt.

5,
Être un kakapo

Minuit venait tout juste de sonner à la pendule lorsque la chatière installée dans la soirée par Don au bas de la porte du laboratoire émit un petit clac distinctif. Bien qu'ils fussent, Deidre et lui, plongés dans l'écriture de rapports scientifiques urgents, ils ne purent s'empêcher de sursauter. Cette nuit-là, le chercheur était revenu plus tôt à la maison et avait filé rejoindre sa collègue au laboratoire afin de finaliser ces documents, à renvoyer au plus vite au ministère à Auckland, la capitale économique néo-zélandaise. Deidre et lui avaient décidé de laisser leur protégé se promener seul, sachant qu'ils pourraient, si besoin, le retrouver en peu de temps grâce au collier. En se retournant sur leurs chaises, c'est donc avec grand soulagement qu'ils l'aperçurent faire basculer le battant en tapant du bec pour rentrer. Il s'était immédiatement faufilé dans l'ouverture et il se dandinait à présent jusqu'à ses parents adoptifs, l'air un peu dépité. Dépité, mais pas abattu! Car Sirocco était bien décidé à retourner dès le lendemain en forêt pour continuer son enquête sur la mystérieuse dame dont lui avait parlé le vieux ronchon.

C'est donc ragaillardi, après une bonne journée de sommeil et une ration gargantuesque de noix et d'amandes, que Sirocco repartit, sous le regard mi-curieux, mi-inquiet des humains, vers six heures du soir, juste avant la nuit, afin de chercher celle dont il connaissait désormais le nom : Zéphyr.

Aussitôt que Sirocco eut franchi la chatière, Deidre, dont c'était le tour de garde, attrapa son sac à dos et l'antenne métallique pour capter les signaux envoyés par le collier émetteur avant de se lancer à la poursuite du jeune explorateur.

Malheureusement, cette nuit encore, la quête de Sirocco se révéla infructueuse. Il n'avait pourtant pas dit son dernier Skraark! Il comptait bien faire un détour chez le bougon pour lui soutirer quelques informations.

Sans succès. Le gros oiseau, l'air dédaigneux, ne leva même pas le bec de la touffe de dracophyllum dont il était en train de déchiqueter les plus tendres feuilles pour en absorber le délicieux jus sucré, et Sirocco eut beau se racler la gorge, gratter la terre et émettre quelques timi-des skraaarrk, rien n'y fit.

Têtu, le volatile revint le lendemain, puis le surlende-main, après avoir de nouveau cherché quelques indices de la présence de Zéphyr dans les parages.

Ce manège dura douze nuits. Douze nuits durant les-quelles Félix offrit le même accueil à Sirocco : l'indiffé-rence la plus totale.

La treizième nuit pourtant, quelque chose d'incroyable se produisit. Ce n'était plus le croupion d'un oiseau rous-péteur qui accueillit Sirocco, mais un Félix tout miel, assis sur une souche, un demi-sourire au coin du bec.

— On peut dire que t'es tenace, petit ! Et courageux. Comment t'as dit que tu t'appelais, déjà ? Simoun ?

— Non, moi c'est Sirocco ! dit-il fièrement en étirant son cou et en faisant gonfler ses plumes.

— Ah oui, Sirocco, le vent chaud du Sahara...

— Le Sahara ? C'est quoi ça, le Sahara ?

— Tu connais pas ? Pffffff. Le Sahara, c'est un désert, loin, très loin d'ici.

— Ah bon ? Vous y êtes déjà allé ? demanda-t-il en ouvrant des yeux aussi ronds que des billes.

— Tu parles, je n'ai jamais bougé d'ici. Enfin, jamais bougé de c'coin du monde, parce que sinon, qu'est-ce que j'ai été bringuebalé d'un lieu à un autre ! La faute à ces stupides humains, lança le gros en donnant un coup de patte dans un caillou.

— Les humains? C'est quoi?

— Les humains? C'est quoi? Ben les bipèdes, quoi! Les mêmes que ceux que tu appelles tes parents, je crois.

— Aaaaah... Mais pourquoi stupides? Ils me donnent de bonnes choses à manger et il fait toujours bien chaud dans leur nid!

— C'est parce que t'y connais rien. T'es qu'un poussin de l'année, t'en as pas vu beaucoup, des humains. Alors que moi... Et puis, les choses ont bien changé depuis quelque temps.

— Changé? Comment ça les choses ont changé? Je comprends pas, gémit Sirocco en secouant la tête, dépité.

— Tu comprends rien... Et pose pas trop de questions! tu m'fatigues! Tiens, tu veux des graines de mānuka? Elles sont délicieuses en ce moment.

Gourmand, Sirocco fut ravi d'ajouter un aliment inconnu à son menu.

— Vous n'aimez guère les humains... bafouilla Sirocco entre deux bouchées de mānuka. Tout ça parce qu'ils vous ont fait voyager? Je compatis. L'autre fois, ils m'ont fourré de force dans un sac et ça m'a fortement déplu!

— Voyager ? Tu rigoles. C'est pas parce qu'ils m'ont fait voyager que je les déteste. Tu connais rien à notre histoire, toi, on dirait.

— Notre histoire ? Laquelle ?

— Pffffffff, t'es vraiment un p'tit jeunot à qui il faut tout apprendre. Tu sais au moins ce que c'est qu'un kakapo ?

— Ben, non... j'ai déjà entendu ce mot de la bouche de mes parents mais je sais pas ce que c'est.

— Pas *ce que* c'est ! *qui* c'est ! Car les kakapos, malheureux, c'est pas une chose, c'est NOUS ! rugit Félix en se frappant la poitrine de ses deux ailes. Nous sommes les kakapos. Les derniers kakapos. On est des survivants.

— Des survivants ? les kakapos ? je suis un... kakapo ? Mais... euh... c'est quoi, un kakapo ?

— Faut vraiment tout t'apprendre. Un kakapo, c'est un oiseau. Tu sais que t'es un oiseau, au moins ?

— Oui, oui, je sais. Mais... Si je suis un oiseau, pourquoi je vole pas comme les autres que je vois dehors ?

— Ah, aaaaah ! C'est que, petit, nous sommes des oiseaux pas comme les autres. Aller là-haut, avec le vent, les nuages et tout ça ? Très peu pour nous. Nous, les kakapos, on préfère la terre ferme. Pas comme les kākās. Tu connais les kākās ?

— Non, c'est quoi? des demi-kakapos?

— Pfff, mais non! les kākās, ce sont nos cousins. Des perroquets. Comme nous. Mais eux, ils volent. Pas nous. Et puis, ils sont moins élégants. T'as vu notre plumage? lança Félix en effectuant une pirouette devant Sirocco. Trop belles, nos plumes! Ils en ont pas des comme ça, les kākās, avec leur manteau marronnasse.

— Vous avez dit qu'on était des survivants, mais pourquoi? Je ne comprends pas.

— Ouh là, mais c'est qu'en plus de la zoologie t'as aussi besoin d'une p'tite leçon d'histoire.

» Attends-moi ici, je reviens.

Une poignée de minutes s'écoulèrent avant que le gros perroquet ne revienne, une monumentale branche de kahikatea généreusement couverte de petits fruits couleur corail dans le bec.

— On va pas se laisser dépérir, non? Bon, par où commencer?

— Ben... par le début, non? risqua Sirocco.

— C'est que t'es futé, petit. Allez, tiens, avale quelques fruits pendant que je fais le tri dans ma mémoire, c'est le fouillis là-dedans!

«Survivants... tu te demandes pourquoi on est des survivants? Imagine qu'à une époque, y avait plus de kakapos dans ce coin du monde que de fruits sur cette branche. Non, sur l'arbre entier, même. Tu secouais n'importe quel arbrisseau et il tombait quatre, cinq, dix kakapos !

— Mais... qui secouait les arbres ?... Et au fait, comment vous vous appelez ?

— J't'ai pas dit ? Mhmmm, oublié. J'm'appelle Félix. Et les arbres, personne ne les secouait, c'est juste une image. Bref, je disais donc que les kakapos fourmillaient dans les forêts de Nouvelle-Zélande.

— La Nouvelle-Zélande, c'est quoi ?

— Pffffff... Le pays où on vit, tiens. Mais quel ignare... Ils t'ont rien appris les humains !...

— Ah... d'accord, je comprends. Et maintenant ?

— Maintenant ? Ben, t'as pas vu ? C'est qu'on court pas les rues, mon p'tit. T'en as vu beaucoup des comme moi en venant ici ? On est devenus une espèce en voie de disparition !

— Disparition ?

— Eh ouais, on est les derniers des derniers !

— C'est horrible ! Mais, pourquoi on disparaît si on était si nombreux ?

— C'est la faute de ces maudits bipèdes, comme j'te disais tout à l'heure. Les mêmes qui t'ont élevé.

— Ah bon ? mes parents ? Don et Deidre ?

— Mais non, idiot, pas eux. Leur espèce. Ces deux-là,

que tu connais si bien, ils sont pas les seuls humains. Avant eux, il y en a eu d'autres, les Māoris.

1620, Te Wāhipounamu, sud de la Nouvelle-Zélande

— Dépêche-toi, Ataahua! Arrête de rêvasser et avance. Tu vas nous perdre, si tu continues! crie Wiremu, qui aimerait bien que son amie le rejoigne. Le groupe est déjà hors de vue, dans cette forêt dense qui ne laisse aucune chance aux retardataires. Heureusement, ils ne sont pas suffisamment loin pour que le bruit de leurs pas sur le sentier jalonné de cailloux soit avalé par le décor verdoyant. Et puis, ce n'est pas la première fois que Wiremu accompagne le grand voyage jusqu'aux mahinga kai, les lieux de chasse éparpillés dans les montagnes. Il a mémorisé, avec l'aide de son père, les principaux chemins qui les relient entre eux et, en attendant Ataahua, il teste ses souvenirs en essayant de fermer ses oreilles aux bruits extérieurs pour deviner par où le reste du groupe s'en est allé. Jusqu'à maintenant, il ne s'est trompé qu'une fois, alors qu'ils longeaient la rivière, tout en bas, dans la vallée. Il allait tourner à gauche dans le premier sentier qui l'aurait ramené au point de départ: le campement qu'ils avaient déserté pour la saison de chasse sur les hauteurs, dans les Fjordland.

— Accélère, Ataahua, on arrive bientôt dans la clairière où on a dormi la dernière fois. Allez, tu pourras ramasser tes graines et tes cailloux là-haut.

— J'arrive ! J'arrive ! crie la jeune fille dont la chevelure soyeuse, couleur ébène, attachée en une longue tresse, oscille dans son dos au gré de ses pas, comme un métronome.

Quelques instants et centaines de mètres plus tard, les deux enfants rejoignent leurs familles. Un petit groupe d'homme et deux chiens s'apprêtent à partir explorer le sous-bois, à la recherche d'un repas pour le soir. Wiremu, qui ne veut pas rater une telle aventure, se dépêche de les rallier tandis qu'Ataahua s'assoit sur une souche en déposant à ses côtés les trésors qu'elle a récoltés en route. Un petit éclat de pounamu[1] dans lequel elle demandera à son père, le chef du clan, de sculpter un tiki. Peut-être que le morceau est trop petit, mais son père est très doué, il y parviendra certainement. Surtout si elle le lui demande ! Elle a également ramassé un beau galet plat et lisse qui dessine un cercle presque parfait, ainsi qu'une magnifique plume couleur émeraude. Une plume de kakapo. Une plume aussi belle que celles

1. Roche verte très prisée pour la sculpture des tikis, des sortes d'amulettes.

qui recouvrent la cape que porte sa mère. Un jour, elle aussi en aura une! C'est la fille du chef, et puis son père lui a promis.

Perdue dans ses pensées et dans la contemplation de sa récolte, Ataahua se laisse submerger par le temps qui passe. C'est le retour de Wiremu qui l'extirpe de son voyage intérieur.

— Ataahua, viens voir, vite. J'ai quelque chose pour toi! Regarde! lui lance-t-il en courant vers le recoin de la clairière où elle s'est isolée du reste du groupe.

«Tu sais ce qu'il y a dans mon panier? Devine!

Arrivé à la hauteur de son amie, Wiremu approche son visage du sien et tous deux se frottent le bout du nez de gauche à droite, de droite à gauche. La séparation n'a duré qu'une petite poignée d'heures, mais pour rien au monde ils ne rateraient une occasion de se saluer: c'est devenu une sorte de rituel entre eux.

— Ferme les yeux et devine ce que j'ai attrapé! lance Wiremu, les yeux brillants d'excitation en lui posant dans les mains le panier fait de feuilles de harakeke tressées et hermétiquement fermé.

À peine Ataahua l'a-t-elle soulevé qu'elle s'écrie:

— Un kakapo! Tu as capturé un kakapo! C'est son odeur, je suis sûre! Oooh, toutes ces belles plumes que je vais pouvoir récupérer!

Elle ouvre les yeux puis le sac à dos et, son intuition olfactive confirmée, saute dans les bras de son ami.

— Merci, merci! Dis, tu crois que ça suffira pour réaliser ma cape?

— Aucune idée. Faut que tu demandes à ton père, mais avec les six autres perroquets qu'on a attrapés ce soir, mon petit doigt me dit que tu devrais bientôt l'avoir, ta cape!

— Six autres? Incroyable!

— Oh, tu sais, c'était pas difficile. Ils n'étaient même pas cachés dans leurs trous. Les chiens les ont trouvés très facilement. Faut dire qu'en plus de leur odeur de fleur, ils chantaient. Pas très discret...

Et tandis que Wiremu raconte la chasse à son amie, les femmes, assises près du feu, s'affairent à plumer le butin du jour. Une fois le perroquet débarrassé de ses précieuses plumes, qui garniront notamment des coussins et matelas, elles le tendent à l'un des hommes qui le déshabille de sa peau avant de découper la chair pour la faire cuire sur les braises. Assouplies et séchées, les peaux seront assemblées et ornées de plumes pour en faire un de ces manteaux dont rêve Ataahua.

À peine éclairés par la lueur rougeoyante du feu, les deux enfants, allongés sur un tapis moelleux de mousse et recouverts de larges feuilles de fougère en guise de couverture, se racontent la légende du marin Kupe qui, à bord de son canoë Matahourua, batailla avec une pieuvre géante. À l'aide de brindilles, de graines et de pierres, ils miment ce combat épique, leur épisode préféré de tous les mythes māoris – une épopée qui se conclut par la découverte d'Aotearoa, la Nouvelle-Zélande, cette terre où ils sont affalés et qui vient de leur offrir ce délicieux ragoût de kakapo et de kūmara. Bientôt, leurs gloussements se font plus discrets et espacés avant d'être engloutis par la nuit et le sommeil qui a finalement réussi à les attraper.

Après une petite pause durant laquelle Félix se délecta d'une vingtaine de fruits de kahikatea à la suite, il reprit sa leçon d'histoire, non sans s'éclaircir au préalable la gorge, où étaient restés collés quelques lambeaux de pulpe.

— Hum, hum... Alors... où en étais-je ? Ah oui, voilà : on vivait donc tranquilles quand ces Māoris ont accosté sur d'étranges choses qu'ils appellent canoës, et ils ont commencé à nous chasser.

— Nous chasser ? Ils ne nous aimaient pas ? lui rétorqua Sirocco qui avait un peu de mal à suivre.

— Si, si, justement, ils nous aimaient beaucoup. Surtout en ragoût. Oh, nous n'étions pas les seuls : les moas ou les kiwis, d'autres oiseaux incapables de voler, ont aussi fini ainsi, dans une assiette.

— Ragoût ? c'est quoi ?

— Un ragoût ? mhmmm, c'est un plat, un truc que les humains cuisinent, un peu comme quand je cueille des fruits pour les manger. Sauf que là, ils nous cueillaient nous, puis nous découpaient *sauvagement* avant de nous cuire.

— Beurk ! Mais quelle horreur !

— Ouais, tu l'as dit. Malgré ce grand massacre, on a survécu, cachés dans les montagnes au cœur des forêts. Bon, on était moins nombreux qu'avant, mais quelques milliers d'individus, c'était quand même pas mal, surtout comparé à maintenant.

— Ah bon, parce que maintenant, on est combien ?

— Cent cinquante... Juste cent cinquante kakapos. Même pas la population d'un de leurs villages, à ces humains !

— Heu, c'est quoi cent cinquante ? C'est beaucoup ?

— Pas vraiment, mais si je te dis qu'il y a encore peu, nous n'étions plus que quarante kakapos... Quarante ! C'est à peine le nombre de fruits que j'ai engloutis.

Sirocco ouvrit le bec, stupéfait.

— C'est qu'après les Māoris, une deuxième vague d'humains a débarqué chez nous. Mon grand-père les as vus et m'a raconté tout ça, autant te dire qu'il ne les aimait pas, ces bipèdes. Ceux-là, ils étaient bien différents des Māoris, aussi blancs que les fleurs de mānuka.

— Eux aussi, ils nous ont tués pour nous manger ?!

— Non, du tout !

— Mais alors ?

— C'était bien pire !

Juillet 1864, Ohinehou/Lyttelton, île du Sud, Nouvelle-Zélande

Cette nuit, l'océan s'est débarrassé de la tempête, et l'*Amoor*, qui mouillait au large pour éviter de rencontrer l'un des innombrables écueils aussi aiguisés que des lames de scie, a enfin levé l'ancre. Parti de Londres le 8 avril, le bateau naviguait depuis trois mois lorsque Mary-Jane et Isabella Burnett, âgées de sept et quatre ans, ont aperçu cet étroit ruban de la couleur du charbon surlignant l'horizon, qu'elles avaient fini par ne plus espérer voir. Depuis quelque temps, elles passent l'essentiel de leurs journées sur le pont pour fuir la promiscuité et les odeurs de moisi, de sueur et de mort qui imprègnent le bateau. Assises près d'un amas de cordage, transformé en cabane de jeu, elles observent la surface changeante de l'océan et les oiseaux qui suivent le sillage du navire. Leur chien, un retriever à poil bouclé qui les a suivies dans ce grand voyage depuis leur ferme du Yorkshire, ne s'éloigne jamais plus de quelques mètres et n'hésite pas à aboyer quand l'un des passagers du bateau s'approche trop près de ses maîtresses.

D'un bond, les deux enfants se lèvent et, après avoir vaguement secoué les larges plis de leurs robes raidies par le sel et la crasse, elles rejoignent en courant l'étroite cabine où s'entassent leur père, leur petit frère Alfred, né en mer, et les cinq membres de la famille Minifie. Comme en écho au bruit de leurs semelles sur le bois du ponton, elles entendent la vigie hurler ces mots que tous, à bord, attendent depuis si longtemps.

— Terre ! Terre !

Dans l'habitacle où résonnent les braillements de bébé Alfred, tout le monde s'embrasse et tourbillonne dans le peu d'espace disponible. C'est la fin d'un trop long voyage, véritable cauchemar pour les Burnett à cause d'un accouchement précoce qui a mal tourné. Seul Alfred a survécu et M. Burnett a dû plusieurs fois par jour quémander un peu de lait aux jeunes mères allaitantes à bord. Heureusement, la solidarité s'est vite installée et les cris affamés du nourrisson se sont espacés.

Il n'a pas fallu beaucoup de temps aux Burnett et aux Minifie pour rassembler leurs maigres possessions et les fourrer dans les deux grosses malles qu'ils avaient embarquées à Londres. Ils ont vendu presque tout ce qu'ils possédaient pour se payer cette traversée. Une traversée qui devait leur ouvrir les portes d'une vie meilleure, dans la colonie britannique de Nouvelle-Zélande. En guise de vie meilleure, M. Burnett a perdu sa femme et se retrouve seul avec trois enfants et aucune idée de ce qu'il va trouver sur cette terre promise dont il espérait tant.

En milieu d'après-midi, l'*Amoor* accoste enfin à Ohinehou, et tout le chargement humain, animal et matériel du navire est transbordé dans de larges barques à fond plat puis sur le quai. Cela fait si longtemps qu'ils n'ont pas marché sur la terre ferme que les passagers continuent de tanguer selon le rythme des vagues qui s'est imprimé durablement dans leur corps.

Après plusieurs jours d'attente dans le petit bourg d'Ohinehou, rebaptisé Lyttelton par les colons, la famille Burnett se voit enfin attribuer son titre de propriété, un lopin de terre à une centaine de kilomètres au sud-ouest d'Ohinehou, au pied des montagnes Ewe dans la vallée de l'Ahuriri. Accompagné de ses trois enfants, de deux grosses malles cerclées de fer, du chien, de leurs deux brebis qui ont également fait la traversée, à fond de cale, et d'un vieux bélier acheté en ville avec leurs dernières économies, George Burnett se met en route. Ses yeux sont encore noirs de la colère qu'il a ressentie en apprenant que la Compagnie néo-zélandaise qui à Londres lui avait promis un emploi dans une scierie n'avait plus rien à lui proposer suite à la crise financière. Un instant, il a été tenté de faire demi-tour, de vendre ses bêtes et d'embarquer sur le premier navire pour l'Angleterre, mais l'idée d'infliger à nouveau des mois de navigation à ses enfants, surtout au plus jeune, et le risque de perdre l'un d'eux d'une de ces maladies qui pullulent à bord de ces rafiots, l'ont dissuadé. Heureusement, il lui reste ce morceau de papier et trois moutons. Dans l'auberge où il a trouvé un lit bon marché pour les quelques nuits passées à attendre des géomètres le relevé exact des limites de son terrain, il a rencontré un chercheur d'or qui venait des montagnes Ewe. Cela faisait huit mois que ce dernier n'avait pas vu la civilisation, trop occupé par sa quête de pépites.

— Les montagnes regorgent d'or, qu'ils disent. Z'avez de la chance d'aller par là. Si ça s'trouve, z'en aurez même sur vot' terrain, de l'or, beugle-t-il en avalant une pinte de bière. Pis, pour manger, z'inquiétez pas, ça grouille de piafs par là. Des kakapos, qu'ils appellent ça, les indigènes. Pénible à préparer avec toutes ces plumes, mais goûtu, un peu comme le mouton. Qu'est-ce que j'en ai bouffé, là-haut ! Mais en même temps, si vous z'avez des vrais moutons, c'est quand même mieux !

Ces quelques paroles enivrées finissent de convaincre George Burnett qu'il ne peut en aucun cas faire demi-tour. Si la terre n'est pas suffisamment fertile pour offrir à sa famille tout ce dont elle a besoin, alors il ira dans les montagnes chercher de l'or, lui aussi !

— Pire que nous manger ?! interrogea Sirocco.

— Exactement ! Car même si quelques-uns de ces Blancs fraîchement débarqués nous dévoraient comme de vulgaires poulets, c'est surtout ce qu'ils ont amené avec eux dans les bateaux qui nous ont tués.

— C'était quoi ?

— Des rats ! des chats ! des furets ! des chiens ! s'emporta Félix qui sautait à chaque mot, grimaçait et faisait claquer ses ailes.

— C'est quoi, ces trucs ? demanda Sirocco horrifié.

— C'est pas des trucs que tout ça, ce sont des tueurs. Des bêtes sanguinaires, des monstres ! Comme si on n'était pas assez bien pour eux. Nous les kakapos, mais aussi nos voisins, les kiwis, les kéas, et même les kākās, malgré leurs costumes bien fadasses. Il fallait qu'ils débarquent avec toutes leurs bestioles européennes !

— Et alors ? Après tout, ça nous faisait peut-être aussi un peu de compagnie. Y a pas grand monde par ici, on s'embêtait probablement un peu, non ?

— Mais tu ne comprends rien, Sirocco! Rien de rien de rien! Ces bestioles, c'était bien pire que les parties de chasses des Māoris! Elles pénétraient dans nos nids pour dévorer nos œufs, nos poussins, et tuaient parfois même les adultes. Un vrai carnage!

— C'est horrible! Et... mais... on s'est laissé faire, on n'a pas fui?

— T'es un petit rigolo toi. T'as essayé de voler? Ben t'as vu le résultat! continua Félix en hurlant tandis que Sirocco, honteux, hochait la tête. Et puis, te fais pas d'illusions: comme j'te disais tout à l'heure, nous, les kakapos, on vole pas. DU TOUT. Un point c'est tout. C'est comme ça. Alors question fuite face au danger, c'est plutôt limité. Surtout quand en face de soi on a des exterminateurs comme les chiens, les chats ou les rats! Z'ont un odorat si aiguisé qu'ils reniflent la moindre de nos plumes même enfouie sous un mètre de terre, au fond d'un terrier! Et au lieu de fuir, qu'est-ce qu'on a trouvé comme alternative? On s'immobilise. Genre, j'suis invisible dans la mousse et les fougères.

— Ah bon?

— Mhmm, mhmm. Regarde mon plumage, et puis le tien. Qu'est ce que tu vois?

— Des plumes?

— Mouais... mais encore?

— ...

— Eh, bêta, tu vois pas qu'on est vert et jaune, comme les touffes de plantes qui sont juste à côté ?

— Si, et alors ?

— Eh ben, t'as besoin que je te fasse un dessin ? C'est comme ça qu'on a toujours fui le danger, en se camouflant dans la végétation ! Sans bouger, on pourrait nous confondre avec une fougère ou je ne sais quel autre truc plein de chlorophylle. Mais tu vois, avec les bestioles des humains, ça marche pas, car notre odeur, ça, on peut pas la cacher !

— Ah ? Tiens, j'avais jamais fait attention, on sent tant que ça ?

— Ouais, paraît qu'on sent le freesia, une fleur très odorante que les humains adorent. J'connais pas, jamais vu, mais bon, je veux bien les croire. Pour d'autres, on aurait l'odeur du miel ou d'un vieil étui de clarinette.

— Étui de clarinette ?

— Ouais, j'te dis qu'il y en a qu'ont de l'imagination, ça c'est sûr.

Sirocco n'avait aucune idée de ce qu'était une clarinette mais il ne voulut pas interrompre Félix une nouvelle fois. Il n'avait pas très envie de passer à nouveau pour le dernier des idiots. Et puis, Félix n'avait pas bien l'air de savoir ce que c'était non plus.

— Mais tu sais, Sirocco, continua Félix en attrapant quelques fruits avec son bec, le pire, ici, ce ne sont pas les chiens ou les chats. Y en a pas, les quelques-uns qui se sont aventurés dans le coin, ils ont été tués par d'autres humains, des humains comme tes parents. Le pire, c'est les kiores, les rats du Pacifique. Ils sont partout, ceux-là, de la vraie vermine. Parles-en à Zéphyr quand tu la verras !

— Zéphyr ? Les kiores ? Pourquoi ?

Sirocco ne savait pas si Félix n'avait pas entendu sa question ou s'il faisait semblant.

— J'suis même pas né ici, soupira Félix, que la nostalgie rendit soudain triste. Il baissa la tête. Mon territoire, ma vie, mes souvenirs, soupira-t-il, ils sont tous restés là-bas, de l'autre côté, sur l'île Stewart. Bien plus jolie qu'ce confetti ! Dire que j'ai dû abandonner un magnifique terrain sur la crête, surplombant la mer, sous la protection d'un généreux toatoa.

Bien qu'il n'ait pas trop envie de briser le fil des souvenirs de Félix, Sirocco se risqua à poser une nouvelle question.

— Pas d'ici, mais... vous êtes arrivé comment, alors ?

— Ah ! petit... Encore un coup des humains. Un jour, alors que j'étais tranquillement en train de mâchouiller des écorces assaisonnées d'une p'tite récolte de champignons, v'là-t-y pas qu'ils m'attrapent et me fourrent dans une boîte à trous. Après avoir bien été secoué, j'me retrouve coincé dans ma boîte, enfermé dans une maison où les humains n'arrêtaient pas d'aller, venir, de manger, de boire, de jacasser. Mais personne ne m'ouvrait la porte et je devais me contenter des trous percés dans le bois pour observer ce qui se passait de l'autre côté. Seul bon point, j'étais bien nourri. J'me demandais quand même s'ils n'étaient pas en train de m'engraisser pour mieux me dévorer ensuite...

— Qu'est-ce qui s'est passé ?

— M'ont ramené. Ramené chez moi, sur la crête.

— Je... je comprends pas. Comment vous êtes arrivé ici, alors ?

— Ah, ah... figure-toi que mon retour à la liberté n'a pas duré longtemps.

» Quelques mois plus tard, me v'là de nouveau capturé. J'te jure, savaient pas trop ce qu'ils voulaient ces humains. Et rebelote, la boîte à trous et tout ça ! Mais cette fois, le séjour dans la maison n'a pas duré longtemps, et trois jours plus tard, les humains m'ont placé dans le ventre d'un oiseau géant et très bruyant. La trouille, j'te raconte pas. Ça tremblait de partout, ça hurlait, à me rendre sourd ! Une heure qu'ça a duré, ce vacarme. J'ai bien cru que ça s'arrêterait jamais. Puis, m'ont sorti de ce truc pour me déposer sur la plage que tu connais, devant le, la... laboratoire où t'as grandi, je crois. Et après, m'ont amené pas très loin d'ici, dans le marécage à pākihi[1] que tu as peut-être traversé.

— C'est bizarre, votre histoire...

— Tu l'as dit, petit. Pendant longtemps je me suis demandé quelle mouche les avait piqués, ces humains. Puis, un jour, en discutant avec un vieux kakapo – Richard Henry, qu'il s'appelle, une vraie encyclopédie, celui-là ! – j'ai eu des explications : tout ça, c'était la faute de l'édit de Wellington, qu'y m'a dit le vieux.

— Le quoi ?

— L'édit de Wellington. Un truc que les humains ont décidé entre eux, un peu comme lorsque, entre kakapos, on se partage le territoire...

— Et ça disait quoi ces « dits de Wellington » ?

— Ce truc, il interdisait aux humains de nous capturer, parce qu'on était trop rares, qu'y m'a expliqué Richard Henry.

— Là, je ne vous suis plus du tout. Ils vous capturaient pour quoi faire, si cela mettait les kakapos en danger ?

— Ils nous capturaient pour nous déplacer ! Ils voulaient nous changer d'île. Mon île, l'île Stewart, l'était

---

1. « Pākihi » est un terme māori qui désigne un paysage de lande humide.

devenue trop dangereuse ! Trop de chats, trop de kiores. Ils nous bouffaient tous nos petits et même nous, on n'était pas à l'abri.

— Mais alors ? Pourquoi ce machin de... Wellington ?

— Z'avaient la frousse. La frousse qu'on disparaisse pour de bon. Z'avaient peur qu'on survive pas au changement d'île.

— Ben, pourquoi ils ont à nouveau changé d'avis, alors ?

— Y a eu d'autres morts. D'autres kakapos assassinés par des chats. L'a fallu ces meurtres pour que ce truc soit oublié, cet édit de Wellington, et pour qu'on nous déplace fissa ici, sur Whenua Hou.

— Vous l'avez échappée belle, alors ?

— Tu l'as dit !... Bon, c'est pas que je m'ennuie avec toi, mais t'as vu là-haut, l'aube n'est plus très loin et j'dois encore faire le ménage chez moi avant d'aller dormir.

Aussitôt ces mots prononcés, il tourna le dos et s'enfonça dans la végétation, abandonnant Sirocco qui avait encore des brassées de questions à poser.

Dépité, il se résigna à rentrer, et tandis qu'il trottinait déjà sur le sentier il entendit Félix crier :

— Oublié de te dire, fais attention aux boîtes grillagées... à côté du terrier de Zéphyr.

— Les quoi ? brailla Sirocco.

Mais le gros perroquet avait déjà disparu, avalé par un tronc d'arbre couché sur le sol et emmitouflé par la mousse et diverses autres plantes le camouflant partiellement, qui lui servait de terrier.

6,
mission hokahoka

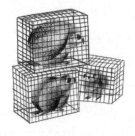

Comme un store que l'on ouvre, la nuit s'enroula sur elle-même, pour laisser l'aube, qui trépignait derrière l'horizon, enfin pénétrer dans la forêt luxuriante. Elle distilla une douce lumière, d'abord au travers de la canopée, par petites touches. Puis à grands traits, elle redessina les contours des fougères arborescentes, des arbres et des lianes qui s'étaient laissé absorber par les ténèbres.

Perdu dans ses pensées, Sirocco ne remarqua pas ce changement, ni les grincements et froissements d'ailes d'une nuée indisciplinée de tuis, des oiseaux fort bavards, ni même les sons flûtés des mohuas, des pīhoihois et d'autres passereaux qui résonnaient tout autour de lui. Entre deux envolées lyriques, ce petit monde ailé s'affairait à siphonner le nectar des ratas et des kahikateas, véritables bars à ciel ouvert, ou encore à happer au vol les petits insectes que la chaleur des premiers rayons avait tirés de leur torpeur nocturne.

Tout ce que lui avait raconté Félix se bousculait dans sa tête.

— Ka... ka... po! je suis un kakapo... Un perroquet qui ne vole pas! Un survivant! marmonnait-il, tout en zigzaguant entre les racines et les pierres des sentiers.

Il ne prêta guère attention au fait qu'il avait dévié du chemin habituel et bifurqué à droite plutôt qu'à gauche comme il le faisait habituellement, près du gros rimu de Zéphyr, jusqu'à ce qu'il bute sur un étrange objet.

Une boîte. Une boîte bien étrange: elle était presque transparente, parcourue de fils entrecroisés comme une de ces toiles d'araignée dans lesquelles il s'était souvent retrouvé emmêlé en forêt. Mais contrairement aux toiles en question, le machin résista au choc provoqué par la collision avec son corps et lui fit perdre l'équilibre.

Tombé sur le croupion, les pattes en l'air et un rien interloqué, le perroquet hésita à s'en approcher à nouveau. Mais la curiosité l'emporta et, du bout de son bec recourbé, il tâta les fils.

«Mhmmm... solides. C'est peut-être ça qu'on appelle un champignon, cette chose qui pousse après la pluie?

» Et ce cœur blanc au milieu, qui sent si bon, comme un bol de pommes et de raisins?

» Et si... »

Un regard à gauche, à droite.

Devant, derrière.

Rien.

Pas de danger visible.

« Je ne devrais peut-être pas... Mais... si ça se mange ?

» Non !

» Trop risqué », se convainquit-il en tournant le dos à la boîte mystérieuse.

Une patte en avant, deux... il hésita.

« Et puis zut ! »

Il recula, tourna autour du cube grillagé et découvrit un gros trou sur l'un des côtés. Il pouvait même passer tout son corps dedans.

« Mais oui. La pluie. Tant de pluie ces derniers temps.

» C'est ça ! ça doit être un champignon !

» Allez, il faut bien goûter. »

Et Sirocco de s'engouffrer dans la boîte pour déguster l'aliment blanc et nacré. Mais en se penchant à l'intérieur pour en déchiqueter un morceau à l'aide de son bec, il entendit un claquement sec retentir dans son dos.

La porte par laquelle il s'est engouffré s'était refermée comme par magie : Sirocco était prisonnier de la boîte grillagée.

«Ne pas paniquer. Rester calme», se dit le perroquet tout en sentant son cœur passer du paisible tic-tac habituel au staccato d'un pic martelant un tronc d'arbre.

Ses mouvements devinrent de plus en plus désordonnés, tandis qu'il inspectait chaque paroi du piège. Rien à faire. Aucun interstice n'était suffisamment large dans le grillage pour qu'il puisse s'y faufiler.

La panique était en train de le saisir et faisait trembler tout son corps. Il sentit la boule dans son gosier devenir de plus en plus grosse, jusqu'à le faire suffoquer et tousser.

— Je veux sortir ! hurla-t-il soudain en se ruant sur le grillage. Skraaaark !

Peine perdue. À part abîmer deux des belles plumes vertes qui ornaient sa queue, son initiative n'eut aucun effet. Il s'apprêta à lancer une deuxième fois son corps contre le grillage lorsqu'il perçut un bruit de succion se rapprocher.

Ce son…

Il l'avait déjà entendu.

Il le connaissait.

Et au moment où les contours d'une silhouette humaine se dessinaient dans le fouillis des arbustes et des immenses frondes de fougères, Sirocco se souvint : c'était le bruit des chaussures de Don s'enfonçant dans la mousse !

— Skraaaark! Skraaaark! Dooooon! s'époumona-t-il.

Il sauta dans la boîte, se cogna, la fit tanguer.

Le bruit de pas s'avança jusqu'à être suffisamment proche pour que Sirocco réalise que ce n'était pas Don mais Deidre qui était accourue à son secours. Elle déposa au sol l'arbre métallique qu'il avait déjà vu plusieurs fois dans le laboratoire et s'agenouilla près de la boîte. Un instant plus tard, sans qu'il comprenne comment elle s'y était prise, il était libéré.

Alors qu'elle se tenait encore accroupie dans la litière de feuilles, Sirocco grimpa sur ses genoux et vint blottir sa tête sous son bras. Cela ne dura qu'un instant, mais il avait besoin de ce contact rapproché avec sa mère adoptive pour finir de calmer sa peur et ses tremblements. Il redescendit aussitôt de ce perchoir douillet tandis que Deidre, qui l'avait laissé faire, attrapait son carnet au fond de la poche de sa veste pour noter le point GPS et ce qui s'était passé. Tous deux se remirent en route en silence, le petit perroquet ouvrant la voie et s'assurant à intervalles réguliers que Deidre le suivait.

Il fut le premier à franchir la porte du laboratoire, s'engouffrant par la chatière, suivi par Deidre quelques secondes plus tard.

— Don? tu es là?

— Dans la cuisine, je prépare un café, tu en veux?

— Bof, non, plutôt une infusion, faut que j'arrive à dormir après cette nuit à crapahuter dans la forêt derrière Sirocco !

— Camomille ou menthe ?

— Camomille, c'est parfait, soupira-t-elle en jetant ses affaires sur une chaise pour se débarrasser de ses chaussures mouillées tandis que, dans le laboratoire, Sirocco escaladait les parois réconfortantes de son enclos.

— Il faut faire quelque chose, tu sais où j'ai retrouvé Sirocco tout à l'heure ? lança-t-elle à Don en s'affalant dans le fauteuil avant d'avaler une gorgée du breuvage brûlant qu'il venait de lui apporter. Dans un de nos pièges à kiores !

— Ces kiores ! s'écria-t-il. Quelle plaie ! On a déjà perdu quatre œufs et deux poussins à cause d'eux, cette année. On ne va jamais s'en sortir, de cette invasion de rats, et des conséquences qui en découlent !

— Et en plus, on n'en a quasiment pas attrapé ces derniers mois. Je pense qu'ils se méfient...

— Attends, répondit Don en partant chercher le dossier « rats » dans le labo où Sirocco l'accueillit par un skraark ! enjoué. Huit en tout et pour tout, lança-t-il en revenant. Huit ! Dire qu'au début le chocolat blanc les attirait comme des mouches, et c'était en un jour qu'on en capturait huit. Pas en un mois...

— Ils se sont habitués, comme pour le reste. De toute façon, quelle que soit la ruse que l'on imagine, j'ai peur qu'on n'y arrive jamais. Il n'y a qu'une solution pour se débarrasser de cette vermine ! s'exclama Deidre en ramenant ses jambes sous elle pour se réchauffer.

— À ce propos, on a un rendez-vous téléphonique avec le ministère des Forêts demain matin, à dix heures et demie. Ils veulent discuter du plan Hokahoka.

— Ça tombe bien ! On en parle depuis des lustres, il serait temps qu'on passe à l'action, ça ne peut plus durer.

— Je te prépare des œufs brouillés ? J'allais petit-déjeuner avant que t'arrives.

— Avec plaisir. Je meurs de faim, je pourrais avaler n'importe quoi, lui répondit-elle en bâillant. Tu peux aussi me faire une tartine de Marmite, s'il te plaît ? Je vais aller me changer en attendant, j'arrive pas à me réchauffer. Faut dire que Sirocco a passé plusieurs heures sans bouger une plume. Aussi immobile qu'un rocher.

— Vous étiez dans quel coin ?

— Pas loin du nid de Zéphyr. Comme les autres jours. Sur le territoire de Félix.

À l'évocation lointaine de ces noms, Sirocco, dans son enclos, sursauta et tendit l'oreille malgré la fatigue qui l'assaillait.

— Tu l'as vu ?

— Qui ça, Félix ?

— Mmh, acquiesça Don en cassant les œufs dans un bol avant d'y ajouter une pointe de crème, du sel, du poivre et une pincée de piment.

— Mieux que ça, je l'ai vu avec notre protégé. Ils sont restés tout le temps ensemble ! Je me suis juste approchée pour vérifier que c'était bien lui, puis je me suis installée plus loin, histoire de ne pas les déranger. Je me demande ce qu'ils fabriquent...

— C'est étonnant qu'il n'arrête pas de traîner par là.

— Oui, j'ai vu tes notes des jours précédents.

— Et Zéphyr, tu l'as aperçue ? cria Don – Deidre avait disparu dans sa chambre pour enfiler un pantalon de jogging, un tee-shirt à manches longues et sa polaire favorite.

— Non, pas vue. J'ai mis la radio sur sa fréquence, mais rien. Elle n'était pas dans le coin. Y'avait que Félix et Sirocco. On ne l'a pas revue depuis la première sortie de Sirocco...

— Faudrait aller patrouiller de l'autre côté de l'île. Toute façon, cette semaine, on ira quadriller les secteurs nord-ouest et ouest.

— Délicieux, tes œufs. Tu n'aurais pas un peu de rab' ?

— Oui, tiens, attends, je vais t'en chercher. Je te refais griller du pain avec ?

— Oui, avec plaisir !

Tandis que ses parents adoptifs finissaient d'avaler leur petit déjeuner en discutant de la future mise en place du plan Hokahoka, le nez plongé dans la carte détaillée de l'île, Sirocco s'était finalement endormi sans demander son reste, épuisé par cette longue nuit.

Le lendemain, puis les jours, et enfin les semaines qui suivirent, malgré ses voyages jusqu'à son territoire, il ne retrouva pas Félix. Déçu, il décida alors de réduire ses déplacements et partit explorer les environs du laboratoire. Il y avait là quelques arbres regorgeant de fruits qu'il avait repérés et qu'il goûterait bien.

Ce fut là, en cherchant de quoi se nourrir, qu'il trouva une souche à demi pourrie, à quelques pas de la maison seulement. Certes, ce n'était pas l'idéal : on était bien loin du beau terrier que Zéphyr lui avait montré, mais c'était mieux que rien. Le perroquet en nettoya l'intérieur autant que possible, y déposant quelques feuilles glanées dans les environs. Désormais, il passait une partie de sa journée à dormir dans ce petit nid presque douillet.

Au début, il y fut contraint et forcé, vu que ses parents fermaient désormais le clapet de la chatière pendant la journée, l'empêchant d'entrer pour dormir dans la maison. La première fois, deux heures durant, il cria devant la porte et finit par se rouler par terre de désespoir en battant des pattes dans le vide... sans succès : aucun de ses deux parents ne céda. Finalement, voyant que ses coups de bec contre la porte et ses appels désespérés ne faisaient aucun effet, tant bien que mal, il se força à se faire doucement à sa nouvelle vie solitaire au grand air. Il dormit d'abord sur le perron plusieurs nuits durant, puis, se décida à s'installer dans sa souche. Un peu plus, et il se serait même senti presque à l'aise dans son nouveau domaine. Bon, il fallait bien l'admettre, ça sentait un peu le pourri, mais il n'avait pas trouvé de meilleur endroit pour l'instant. Dans le coin, c'était une denrée rare. Et dès qu'il tentait de s'éloigner pour chercher un autre terrier, il ne rencontrait que des lieux déjà habités. Pas commodes, les autres kakapos! Chaque fois, il se faisait recevoir avec un coup de bec par-ici, un coup de patte par-là. Sirocco avait du mal à croire que ces sauvages faisaient partie de son espèce. Heureusement qu'il y avait Félix, même si lui aussi, au début... s'était montré peu amène...

Ce fut donc là, entre son nouveau logis et ce coin de forêt autour de la maison, que le perroquet se mit à observer l'étrange remue-ménage que faisaient ses parents. Ils n'arrêtaient pas d'aller et venir, et quand il essayait de leur rendre une petite visite, à peine leur avait-il donné un coup de bec dans les mollets qu'ils lui jetaient un regard étrange, puis continuaient leurs occupations sans se soucier de lui. Il était devenu comme transparent.

— J'y comprends rien.

Se sentant abandonné, il s'en retournait alors bouder dans sa souche.

Un matin, alors qu'il venait tout juste de s'endormir dans la fraîcheur du nid, il fut réveillé par un bruit assourdissant. On aurait dit qu'un énorme orage éclatait pile au-dessus de sa tête. Mais lorsqu'il mit le bec dehors, il ne sentit aucune goutte de pluie, seulement un vent terrible qui ébouriffa son plumage. Puis, aussi vite que cette tempête sans pluie était apparue, elle s'en alla.

Sirocco s'en retourna se caler au fond de son terrier et ferma les yeux.

Mais à peine une demi-heure s'était écoulée qu'il fut à nouveau réveillé en sursaut.

Tout ce bruit...

Qu'est-ce qui se passe ?

Il pointa une nouvelle fois sa tête hors de son abri, pour apercevoir une succession de jambes et de pieds qui piétinaient le terrain autour de chez lui. Il leva les yeux...

Ne reconnut personne. Ce n'était pas Don, ni Deidre, mais d'autres bipèdes inconnus tout autour de la maison.

Ne pas crier.

Il repensa aux histoires de Félix et frémit en se disant que ceux-là appartenaient peut-être à la catégorie des mangeurs de kakapos. Ou à celle des chats et des rats...

Brrrrrr!... et s'ils amenaient dans leurs sacs un de ces monstres terrifiants ? Pire, s'il leur prenait l'envie de le manger ?

Sirocco se tapit tout doucement au fond de sa souche, ses sens en alerte.

« S'ils s'approchent trop, je leur fonce dessus et je les pince de toutes mes forces. »

Le cœur battant, se demandant où étaient passés Don et Deidre, il échafauda maints scénarios de défense. Au bout de quelques heures, il finit malgré tout par s'assoupir d'épuisement.

Dans la maison régnait l'effervescence la plus totale. Huit bénévoles avaient débarqué avec l'avion de ravitaillement, accompagnés d'une kyrielle de caisses en bois et de matériel. La pièce du fond, donnant sur la grande salle où Don et Deidre aimaient dîner et travailler, avait été nettoyée de fond en comble, et les lits superposés en sapin massif garnis d'oreillers. Chaque bénévole avait eu pour consigne d'apporter son propre duvet, les couvertures et draps disponibles dans la maison étant bien insuffisants. L'espace, habituellement si paisible, bruissait désormais des conversations croisées des uns et des autres et résonnait de leurs pas sur le parquet. Cinq des bénévoles étaient des étudiants en zoologie et éthologie de l'université d'Auckland. Raoul et Lizzie, plus âgés, étaient ornithologues amateurs – ils avaient toujours rêvé de venir à la rencontre des kakapos. Enfin, Aileen, à la lumineuse chevelure rousse, avait fait le voyage depuis l'Angleterre pour aider l'équipe de scientifiques. Cela faisait un an qu'elle avait postulé sur le site Internet kakaporecovery.org.nz pour être bénévole ; lorsqu'elle avait enfin eu confirmation que son dossier avait été accepté et qu'une vaste opération de sauvetage néces-sitait sa venue, elle avait sauté de joie dans son appar-tement londonien. Enfin ! Elle allait pouvoir rencontrer cet oiseau qui la faisait rêver depuis l'enfance. Elle s'était souvenue qu'à l'école sa première rédaction avait pour héros... un kakapo !

Pendant les semaines qui suivirent, Sirocco se faisant le plus discret possible, observa ce petit monde sillon-ner l'île, découpée sur le papier par Deidre en secteurs de deux cent cinquante mètres carrés. Aucun recoin de la forêt ne devait être laissé inexploré : avant la fin de ce mois de janvier, tous les kakapos de l'île devaient être capturés pour la deuxième phase du plan Hokahoka. Le gouvernement avait enfin donné le feu vert à Don et Deidre : les derniers événements avec les kiores et l'acci-dent de Sirocco avaient tout accéléré. Du coup, les deux scientifiques profitaient de l'arrivée des bénévoles, venus comme chaque été participer à l'observation des kakapos pour mettre en branle leur vaste projet. Aileen, l'Anglaise, s'était jointe à la petite équipe au dernier moment. Face à l'ampleur de la tâche, une personne de plus était pour le moins bienvenue, sinon indispensable.

De sa tanière, le perroquet, qui n'avait pas vaincu ses préjugés à l'égard de ces nouveaux humains, se tenait le plus possible à l'écart de ce va-et-vient. Il était vain de tenter d'attirer l'attention de Don et Deidre ! Il apercevait des caisses en bois amenées en forêt, puis ramenées au laboratoire, dont la chatière restait obstinément fermée à double tour. Fallait-il prévenir Félix et Zéphyr ? Pourquoi ne se manifestaient-ils pas, l'un et l'autre ? Impossible de savoir ce qui se cachait dans ces boîtes qui s'empilaient contre le mur de la pièce principale, comme il put le constater lorsqu'il grimpa, à l'aide de son bec, le long du mur de la maison, en s'aidant de la gouttière, pour accéder au rebord de la fenêtre.

Un matin, tandis qu'il lissait tranquillement ses plumes à l'abri de son logis, il sentit qu'on l'observait. Il n'osa d'abord pas bouger, mais la curiosité lui fit finalement tourner la tête vers l'ouverture de son terrier. Deux grands yeux bleus encadrés de cheveux aussi orange que les fruits du kahikatea le fixaient. Avant qu'il n'ait le temps de réagir, une paire de mains gantées le saisit délicatement et le fourra dans l'une de ces caisses qui l'intriguaient.

— Skraaark! Doooon, Deiiiidre !!! Noooooooon ! hurla
Sirocco en se débattant.

Prisonnier, le bec coincé dans un des trous, il ne put
qu'observer en tremblotant ce qui se passait à l'extérieur tandis qu'il était soulevé dans sa cage et porté jusqu'au laboratoire. Une fois la porte franchie, il soupira
de soulagement. Il est revenu chez lui, c'était tout ce qui
comptait. Don et Deidre seraient là et, même s'il ne comprenait pas toujours leur comportement, il savait qu'ils
étaient de son côté.

Il attendit qu'ils viennent lui ouvrir la porte. Mais personne ne vint.

Non seulement Don et Deidre restaient invisibles,
mais de drôles d'odeurs lui chatouillaient les narines.
Des odeurs sucrées, des odeurs de fleurs.

— Skraaark !

Il sursauta.

— Quoi ? qu'est-ce que c'est ? qui a crié ?

— T'es qui, toi ? grogna une voix rocailleuse à quelques
mètres de lui.

— Je... je suis un kakapo !

— Ha ! comme si je ne le savais pas ! bien sûr que t'es
un kakapo, comme nous tous ici, mais t'es qui exactement, tu viens d'où ?

— Ben... je m'appelle Sirocco et je viens de... euh... d'ici !

— N'importe quoi! T'as bien un territoire dans le coin, c'est où? j't'ai jamais vu par ici.

— Je... derrière la cabane en bois, là-bas, piaula Sirocco, intimidé par la brusquerie de son voisin.

— Pfff, mouais, pas terrible comme coin, glapit ce dernier avant de s'enfermer dans un silence dédaigneux.

— Ben, c'est pas si mal... hasarda Sirocco, piqué au vif. Mais ses mots restant sans réponse, il décida de ne pas se ridiculiser davantage et se tut. Aucun son ne sortait des autres boîtes; il se demanda si elles étaient habitées. Mais vu l'amabilité de celui qui l'avait apostrophé, il ne tenta même pas d'interpeller d'hypothétiques voisins et se tapit au fond de sa caisse.

Il attendit.

Le perroquet parvint finalement à distinguer, une éternité plus tard, dans le brouhaha qui s'élevait de la pièce d'à côté, les voix de ses parents.

— À l'aide! Deidre! Don! On m'a enfermé! hurla-t-il en tapant des pattes dans sa boîte.

Pas de réponse. L'avaient-ils oublié? Que se passait-il?

— Skraaaark!

— Tu veux pas te taire, un peu! beugla son voisin.

— Skraaaark!

Toujours pas de réponse mais quelques mots, happés au vol par le perroquet, qui n'en comprenait pas la signification.

... prêt...

... hélicoptère... vers midi.

... caisses... toutes là...

Au laboratoire... les autres sur la terrasse...

Le claquement de la porte fut suivi par le tremblement d'une armée de pieds et, dans un brouhaha général, les caisses furent soulevées.

— Noooooooon! gémit Sirocco.

Il vacilla dans son habitacle et sentit l'air frais soudain venir le chatouiller.

— Mais où est-ce qu'ils nous emmènent?

Il avait compris qu'il n'était pas tout seul. Les survivants étaient en danger.

La caisse tanguait trop pour qu'il parvienne à observer correctement par les trous d'aération. Il eut la nausée et ferma les yeux.

La troupe s'immobilisa enfin et les boîtes furent délicatement posées sur le sable blanc que Sirocco apercevait pour la première fois au travers de ses mini-hublots. Il n'eut pas le temps de s'interroger plus amplement sur ce qui l'attendait: un vacarme assourdissant enveloppa brusquement la baie.

«Brrrrr!» Il frissonna d'angoisse. Un nouvel orage? Mais, comme l'autre jour, aucune goutte de pluie ne vint tambouriner sur sa cage. Seul un vent puissant le força à fermer les yeux de peur et à se caler au fond de la boîte.

Il entendit les humains crier et ouvrit un œil. Mais qu'est-ce qu'ils avaient à courir comme ça?

— Qu'est-ce que c'est que ça, encore? bafouilla-t-il en apercevant un gigantesque insecte qui venait de se poser sur la plage non loin de sa boîte.

Avant de pouvoir correctement observer cette chose, il fut à nouveau soulevé et...

— Non! Non! Skraaark! Je ne veux pas être dévoré! hurla-t-il dans ce vacarme incessant, juste avant d'être englouti dans le ventre bombé de la libellule d'acier.

— Ça suffit! entendit-il beugler non loin de lui. Tu vas arrêter de hurler comme ça! C'est bon, c'est juste un hélicoptère, tu vas pas nous casser les oreilles indéfiniment!

— Ouais, c'est vrai, tais-toi! répondit en écho une autre voix guère plus aimable.

— Félix? c'est toi? t'es là?! hurla Sirocco qui aurait tant aimé entendre une voix amie.

Pas de réponse.

«Un hélicoptère? C'est quoi? s'interrogea-t-il en tremblant de tous ses membres. J'ai peur! Je veux rentrer chez moi.»

— Don, Deidre, vous êtes où? geignit-il sans obtenir plus de réaction, tandis que les pales de l'insecte métallique se remettaient en branle et soulevaient sa gigantesque carcasse.

— Incroyable! Qui aurait cru que les kakapos pourraient voler un jour? lança Deidre, émue, à son collègue tandis que, sur la plage, ils observaient, en compagnie des bénévoles, l'hélicoptère s'élever dans les airs.

— C'est le grand Charles Darwin qui doit ouvrir des yeux ronds comme des soucoupes! remarqua Aileen en riant.

Le cœur de Deidre se serra.

— Dans toute cette précipitation, on n'a pas pris le temps de dire au revoir à notre Sirocco... Pourvu que tout se passe bien pour lui, soupira-t-elle.

Don lui posa une main réconfortante sur l'épaule. Il s'en voulait un peu, lui aussi. Mais Sirocco devait s'endurcir : il était tout seul, désormais... Presque seul.

— Bon, ce n'est pas tout, il faut aller chercher les autres caisses pour le retour de l'hélicoptère lança Don, les sourcils froncés. Autant se remettre au travail. Deidre, tu as des nouvelles de Raoul et Lizzie?

— Oui, ils ont appelé par radio tout à l'heure, c'est bon pour Félix, ils l'ont trouvé.

— Et Zéphyr?

— Aucune trace.

Deidre eut une soudaine envie de courir derrière l'héli-coptère et se mordit la lèvre.

— Visiblement, son émetteur ne fonctionne plus, ils n'ont capté aucun signal dans toute la zone.

— Qu'est-ce qu'on fait ?

— S'ils ne la trouvent pas d'ici à l'arrivée du dernier avion dans l'après-midi, pas le choix... on va devoir par-tir sans elle.

Vers treize heures, les deux ornithologues amateurs réapparurent, bredouilles, guêtres et chaussures de marche couvertes d'une boue gluante, leurs chevelures décorées de brindilles et de feuilles de fougères arra-chées lors de leur crapahutage dans les fourrés à la recherche de Zéphyr. Seul Félix, qui n'avait pas cessé de grommeler durant tout le trajet, était dans une boîte.

Ce fut donc avec un gros pincement au cœur que Don et Deidre chargèrent les dernières caisses dans l'hélicoptère, avant d'embarquer aux côtés de Félix et de la seconde fournée de kakapos, tandis que les béné-voles grimpaient dans le bimoteur stationné de l'autre côté de la plage : y avaient été empilés des dizaines de sacs contenant les affaires de première nécessité. Le reste, une montagne de caisses au moins aussi haute que le mont Aoraki, était stocké dans la grande salle. Les deux chercheurs et le pilote de l'avion termineraient le déménagement la semaine suivante, une fois les kakapos correctement installés dans leur nouvelle demeure : l'île de la Perle, à une cinquantaine de kilomètres au sud-est de Whenua Hou.

7,
L'île de la Perle

— Mais c'est nul, ici !

— On est où ?

— Pffff ! encore un déménagement ! J'en ai maaarre !

— Z'ont pas fini de nous balader ?

— Ouais, c'est vrai, ça ! Ça commence à bien faire !

Tandis que les caisses en bois étaient sorties une à une de l'hélicoptère et déposées sur la plage, les récriminations et remarques des oiseaux en colère, secrètement soulagés de ne pas avoir été tués, fusaient de tous les côtés.

Sirocco écoutait sans piper mot. Dans ce brouhaha, il avait reconnu la voix de cet odieux kakapo qui l'avait rudoyé un peu plus tôt, dans le laboratoire, et n'avait pas du tout envie de se faire à nouveau envoyer promener. De son habitacle percé de trous, il observa le paysage qui, somme toute, ne lui déplaisait pas, même s'il ne voulait pas se l'avouer. Certes, la baie semblait minuscule comparée à celle qu'il connaissait, mais elle était bordée de gros rochers lisses et ronds comme des œufs, surmontés d'une forêt invitant à l'exploration. De toute manière, quand il aurait retrouvé Don et Deidre, il leur en ferait voir de toutes les couleurs... Mais au fond, il n'attendait qu'une chose : se blottir contre ses parents adoptifs et rentrer à la maison. Il se mit à trépigner d'impatience : il aurait tant voulu les rejoindre ! Il n'avait jamais autant ressenti le besoin de grimper sur leurs genoux pour un peu de réconfort. Il commençait aussi à avoir faim ! Lorsque sa boîte fut soulevée par une paire de pattes chaussées de bottes rouges qu'il reconnut comme appartenant à Deidre, il frétilla de contentement, mais avant de pouvoir lui lancer un « Skraaark ! » il se retrouva juste déposé quelques mètres plus loin, seul, entre deux touffes d'herbes qui sifflaient sous l'action du vent. Il dut encore attendre ce qui lui parut être une éternité, jusqu'aux premiers frémissements du crépuscule, pour enfin entendre la voix de sa mère adoptive.

— Vous les avez tous emmenés sur les lieux de lâcher ? questionnait-elle.

— Oui, Aileen a libéré les deux derniers kakapos destinés à la zone sud. Et Lizzie vient d'appeler par radio :

Félix, Rakiura et Tōitiiti sont désormais sur la crête, dans la lande à pākihi, répondit Don.

— Génial! Du coup, il ne reste plus que notre Sirocco. On reste sur l'idée de départ?

— Oui, tout à fait. Je lui ai même trouvé un vieux tronc d'arbre creux à quelques dizaines de mètres de la maison, il ne devrait pas être trop dépaysé.

— Fabuleux. Attends-moi, je te l'amène.

Et Sirocco sentit de nouveau sa caisse exiguë tanguer jusqu'à lui donner la nausée. Heureusement, ce nouveau voyage se déroulant sur la terre ferme, il joua les funambules pour tenter de s'approcher de l'un des trous afin de voir ce qui se passait dehors ; il sentit un choc, suivi d'une immobilité totale... avant d'entendre le déclic de la porte qui s'ouvrait enfin, et de se retrouver yeux dans les yeux avec Deidre.

Le perroquet, qui ne pouvait dissimuler sa joie, lui pardonna sur-le-champ, grimpa dans son cou et lui tira les cheveux avec son bec sous les yeux mi-attendris, mi-amusés de Don, resté légèrement en retrait.

— Aïe! Arrête, Sirocco! cria-t-elle en riant, avant de le saisir et de le reposer sur le sol, dans un tapis de mousse gorgée d'humidité.

— Regarde! C'est ton nouveau terrier pour quelque temps, lui murmura-t-elle dans un souffle en le gratifiant d'une dernière caresse sur le dos avant de faire volte-face, précédée par son collègue, et de s'en aller rapidement avec la boîte.

Sirocco devait absolument devenir indépendant ; les deux chercheurs savaient qu'il fallait coûte que coûte limiter les contacts avec leur petit protégé. Cette étape était essentielle.

Abandonné, en territoire inconnu qui plus est, le perroquet resta un instant figé de désespoir.

« Pourquoi se sont-ils enfuis ? »

Après une dizaine de minutes à attendre qu'ils reviennent le récupérer, il dut se faire une raison. Ils l'avaient vraiment abandonné. Triste, mais de plus en plus en colère contre ses parents, il décida qu'il était capable de se débrouiller tout seul... Si seulement Félix pouvait être dans le coin ! Il allait leur montrer qu'il pouvait y arriver ! Et il se hasarda à faire lentement le tour de la souche...

« Pas mal ! se dit-il en scrutant l'intérieur. Il n'y a même pas d'odeur de pourriture comme dans l'autre. Tiens, j'ai aussi un garde-manger garni ! s'exclama-t-il en découvrant un bouquet de champignons entoloma niché entre deux racines entrelacées de l'arbre. Il n'y avait pas ça, dans mon enclos ! »

La couleur bleu ciel de ces parapluies miniatures l'interpella. Il n'avait encore jamais rien vu de semblable.

Pris d'un doute, il hésita à goûter l'un des chapeaux.

«Faudra que je demande à Félix ce qu'il en pense», se dit-il en débarrassant, d'énergiques coups de patte, l'entrée de son nid des feuilles et autres brindilles superflues.

«Je me demande bien où il peut être. Même si je sais qu'il déteste ça, j'espère qu'il a voyagé avec nous!»

Après ce ménage sommaire, Sirocco, affamé, grommelant toujours contre ses parents, partit en quête d'un dîner. Il n'eut pas à aller loin et trouva, à moins de dix pas de distance, une belle touffe de thelymitra en fleurs. Il mâchouilla d'abord deux larges feuilles juteuses, recracha les fibres débarrassées de leur liquide, puis s'attela à déterrer le délicieux bulbe de cette orchidée à fleur azurée. L'estomac désormais calé, il réalisa que toutes les émotions de cette journée l'avaient épuisé. L'exploration, ce serait pour demain! Et il trottina se coucher au fond de la souche finalement bien douillette – presque autant que sa couveuse, tiens! – en se disant que la vie au grand air, ce n'était pas si mal.

Plusieurs jours s'écoulèrent, durant lesquels Sirocco se borna à apprivoiser les alentours de son nouveau logis. Il ne put néanmoins s'empêcher de chercher à rencontrer ses parents, malgré ses bonnes résolutions : devenir enfin un vrai kakapo sauvage.

Mais sans succès : Don et Deidre semblaient s'être volatilisés. Ce que leur protégé ignorait, c'est qu'ils s'étaient rendus de l'autre côté de l'île, afin de suivre l'acclimatation d'un groupe de kakapos dans une zone de forêt marécageuse. Et que Aileen était en charge de suivre, à bonne distance, chacun de ses mouvements.

Alors, pour tromper le temps et ce manque d'affection qui le rongeait, Sirocco établit l'inventaire des tiges, écorces, fruits et bourgeons qu'il connaissait et pouvait manger tout son saoul, en notant dans sa petite tête ce qu'il devait vérifier auprès de son ami. Puis il s'évertua à localiser des embryons de sentiers : c'était une vraie jungle aux alentours. Rien, aucun chemin. Ce faisant, il lui arriva de s'aventurer un peu plus loin que prévu, mais, chaque fois, il se faisait recevoir par ses voisins. Aucun d'entre eux ne semblait vraiment aimable. De peur de se prendre un coup de bec ou de patte griffue, il n'osa même pas leur demander s'ils savaient où se trouvait Félix ou s'ils avaient entendu parler de Zéphyr, qu'il n'oubliait pas. Et quand il ne ressentait pas d'agressivité, c'est parce qu'on l'ignorait superbement. « Vraiment de drôles d'oiseaux, ces kakapos », se dit-il.

Le jeune oiseau fut encore plus perplexe lorsque ses parents revinrent et l'évitèrent. Il eut beau tambouriner à la porte et aux fenêtres, pousser des Skraaark! de fureur ou suppliants, rien n'y fit.

« Est-ce moi qui provoque ces réactions? Mais qu'est-ce qui cloche, pour que tout le monde me déteste autant?

» Est-ce que c'est mon parfum? »

Il plongea son nez dans ses ailes pour vérifier.

Mmh... ça ne sentait rien de spécial. Ça ne sentait pas le pourri. C'était sucré, comme des fleurs. Ça ne devait pas être ça.

« Mon accent, alors? ... »

Et si c'était ça? Il avait bien remarqué que parfois Félix avait des difficultés à comprendre certains mots qu'il prononçait, et vice-versa.

« Peut-être qu'ils viennent tous de l'île Stewart et qu'ils ne parlent pas le même dialecte que moi. Mais, enfin! peut-on me détester simplement parce que je ne parle pas tout à fait comme eux? »

Cette hypothèse le laissa pensif.

Il passa en revue son plumage en dépliant ses ailes, puis se contorsionna pour examiner les plumes de sa queue. S'il finit par se retrouver allongé sur le dos, il ne constata aucune différence flagrante avec les autres kakapos qu'il avait rencontrés.

Occupé à se remettre d'aplomb, il n'entendit pas l'autre

kakapo arriver derrière lui, jusqu'à ce qu'il reçoive un violent coup de bec sur le croupion.

«Mais qu'est-ce qu'ils ont tous?!»

Il partit en courant jusqu'à sa souche.

«Et si c'était *vraiment* moi qui avais un truc de travers, pourquoi Félix serait-il devenu mon ami? Et Zéphyr? Elle est bien venue me voir, elle!»

Jour après jour, le perroquet ressassait toutes ces sombres pensées jusqu'au moment où il décida, dans un grand élan de courage, de ne plus se soucier de l'hostilité affichée des autres perroquets. Il allait partir en exploration sur l'île, à la recherche de son ami.

Le jeune oiseau se mit en route dans l'après-midi, au moment où ses voisins ronflaient paisiblement dans leurs terriers. Il opta tout d'abord pour une virée sur la plage, qu'il souhaitait longer jusqu'aux rochers-œufs aperçus le jour du débarquement. Il ne put s'empêcher, en passant devant la maison qui ressemblait en tous points à la sienne, de jeter un œil à l'intérieur. Pas de chatière ici, mais un amas de bois sous la fenêtre qu'il pouvait aisément escalader. Encore une fois, il pouvait essayer. Un coup d'œil... rien ne bougea, pas un son. La maison paraissait vide. Il se déplaça sur le rebord, jusqu'à l'autre extrémité de la fenêtre.

— Qu'est-ce que c'est que ça? s'exclama-t-il en sursautant.

Un autre kakapo, de l'autre côté, le fixait du regard ! Il lui avait piqué sa place, ses parents !

Sirocco donna un coup de bec contre le carreau.

Rien : pas de réaction de l'inconnu assis, figé, à l'intérieur.

Un autre coup de bec, puis deux, trois coups, de plus en plus fort.

— Skraaark ! eh, toi, l'imposteur !

Rien de rien !

Bizarre...

La tête collée contre la vitre, le perroquet observa d'un peu plus près cet énergumène.

Étrange... son plumage ne ressemblait en rien au sien : il était terne, un peu sale. Et ces yeux, brrr ! ils donnaient froid dans le dos, aussi immobiles que vides ! Quant au bec... il paraissait aussi mou qu'un bout de tissu.

Sirocco tenta encore une fois d'obtenir une réaction, en frappant de plus belle du bec sur la vitre. Puis, voyant que cela ne provoquait pas le moindre frémissement de l'autre côté de la fenêtre, il tourna le dos à cet oiseau anormal, sauta de son perchoir et reprit la route.

En suivant le sentier qui partait de la maison et zigzaguait sur une centaine de mètres dans les épaisses touffes de dracophyllum et de mingimingi entrecoupées par les taches étoilées des fleurs d'olearia, Sirocco atteignit bientôt la plage. Ses grosses pattes s'enfonçaient dans le sable ivoire, ce qui rendait sa progression ardue. Il décida de rester le plus près possible de la lisière de la végétation, là où le sol était encore relativement dur. Soudain, entre deux touffes de mingimingi, il découvrit des traces imprimées dans le sol. Il posa sa patte à côté, appuya de tout son poids puis la retira, pour comparer les empreintes.

« Mhmmm... ça ne va pas du tout. »

Il tenta de comprendre ce qui clochait.

Mais oui ! il manquait l'un des deux doigts normalement orientés vers l'arrière ! Bizarre, est-ce qu'il s'agirait d'un kakapo blessé ?

Il suivit les traces. Une, deux, trois... au bout d'une cinquantaine d'empreintes, il se retrouva les pieds dans l'eau : les marques avaient disparu, englouties par la mer.

Encore plus étrange...

Il scruta la surface, où des vagues dessinaient des traits blanchâtres à intervalles réguliers.

Il rebroussa chemin pour retourner à la lisière de la lande, vers les rochers qui, minuscules auparavant, étaient désormais gigantesques.

L'escalade de ces cailloux, aussi lisses que le carrelage du laboratoire, s'avéra épique. Alors qu'il s'apprêtait à abandonner, suite à des glissades ventrales aussi nombreuses que ses tentatives d'ascension, Sirocco aperçut une faille dans l'un des blocs de granit. Là, poussait un minuscule arbuste tortueux qui s'était frayé un chemin dans ce sarcophage de pierre. Il agrippa le tronc aussi mince qu'un ver et s'y hissa à la force de son bec, tout en s'aidant de ses pattes pour prendre appui sur les côtés. L'escalade fut laborieuse, mais couronnée de succès.

Wahou ! Le perroquet embrassa du regard cette vue qui se déployait sur trois cent soixante degrés. Il n'avait jamais vu autant d'eau et se demanda d'où elle venait. De toute cette pluie qui leur tombait dessus ?...

La progression sur le promontoire fut bien plus aisée que dans la forêt, la végétation étant beaucoup plus basse et dispersée, avec suffisamment de place entre les touffes pour que puisse s'y glisser un corps dodu de kakapo. Trois heures durant, Sirocco explora le haut de la falaise jusqu'à la lisière de la forêt, au bas de la pente qui redescendait vers la maison et le reste de l'île. Ici il repéra quelques amas de fibres végétales, reliques d'un repas de perroquet, là des herbes couchées où l'un d'eux avait certainement fait une sieste : mais personne à l'horizon. Juste l'immensité de l'océan et les graminées dansant dans le vent froid, qui soufflait de plus en plus violemment.

— Féééééélix !!! criait-il de temps en temps, dans l'espoir que son ami l'entende, mais ses mots étaient étouffés par le rugissement de l'air.

La solitude et la tristesse l'accablèrent soudain.

Fatigué, il se résigna à rentrer. Peut-être que son ami était, lui aussi, parti explorer son nouveau territoire ? Néanmoins, il en fallait plus pour le décourager : il y arriverait, il le retrouverait. Et Zéphyr aussi !

8.
Richard Henry

La première semaine s'est écoulée sans encombre pour les kakapos, malgré quelques prises de bec autour des logements forestiers, rares et prisés pour leur abondance nourricière. Don et Deidre profitèrent d'une journée privée de nuages et peu ventée pour reprendre l'avion, direction Whenua Hou, et entamer la deuxième phase du plan Hokahoka.

Après avoir survolé la baie de Pikihatiti, au nord, puis l'imposante île Stewart, dont le relief hérissé d'une chaîne de montagnes aussi impressionnante que le dos d'un stégosaure provoquait des turbulences à remuer n'importe quel estomac, l'appareil atteignit enfin Whenua Hou.

Tandis que la plage, ruban blanc séparant le bleu de la mer du vert intense de la forêt, seule piste d'atterrissage de l'île, se dessinait dans le hublot, Don cria au pilote :

— Vous avez bien le plan de quadrillage de la zone ?

— Oui, tout est là. Je commence la descente à 400 pieds et on sera pile-poil sur la première ligne que vous avez tracée sur la carte. D'ici deux minutes, vous pourrez ouvrir la porte latérale.

— Parfait. Merci. Deidre, tu es prête ?

— Oui, tout est O.K. de mon côté ! cria-t-elle du fond de l'avion, tirant près de la porte les premières caisses en plastique jaune citron : on pouvait y apercevoir des milliers de petits pochons de gaze de la taille d'une balle de golf.

L'air froid pénétra dans un souffle au cœur de l'habitacle et tout le monde se mit à hurler pour se faire entendre.

Un à un, Deidre lança les sachets dans le vide, tandis que le bimoteur zigzaguait au-dessus de la forêt en frôlant presque les cimes des arbres qui dansaient dans le courant d'air provoqué par le passage de l'avion.

— Tu crois que ça va fonctionner, Don ?

— Je l'espère !

— Moi aussi ! On n'a pas le choix ! C'est bien trop petit pour nos kakapos, l'île de la Perle.

— Oui, répliqua Don, y aura jamais assez à manger sur le long terme là-bas !

— Je croise les doigts ! hurla-t-elle en balançant une flopée de sachets vers la canopée en contrebas.

— Et Zéphyr ? je me demande où elle est, cria Don.

— Quelque part là-dessous, il faut l'espérer !

— Pourvu qu'elle ne soit pas tentée par ces appâts...

— Y a peu de chance, mais...

— On verra dans huit jours, le temps que le poison ait fait son effet sur les rats ! Et tous les mois, on larguera un nouveau chargement.

— Si Aileen reste encore un peu, on l'emmènera, elle continuera à chercher Zéphyr pendant qu'on collectera les cadavres !

Une heure plus tard, les caisses étaient vides et l'avion faisait route vers le sud, direction l'île de la Perle. Don et Deidre, frigorifiés, avaient enfilé bonnets, doudounes et gants.

Deidre tenta de se rassurer :

— Zéphyr a dû se cacher dans le centre de l'île, tu sais, là où la forêt est tellement dense qu'on a toujours du mal à y pénétrer. Avec son super camouflage de kakapo...

— Aucune chance qu'on la détecte, c'est vrai ! répondit Don avec un sourire encourageant, même s'il doutait de leur optimisme à tous les deux.

Pendant ce temps, sur l'île de la Perle, Sirocco apprenait à éviter les voisins désagréables. Désormais, lorsqu'il décidait de partir en exploration, il levait les voiles en

milieu de journée, afin de rentrer quand tous les nocturnes se levaient pour aller déjeuner dans la forêt. Mais
aujourd'hui, il était drôlement en retard. Il faut dire qu'en
passant devant la maison, il avait trouvé la porte entrouverte. C'était trop tentant !

Il avait d'abord jeté un œil : personne. Puis, sur la
pointe des pattes, il était entré et s'était avancé dans le
laboratoire. Étrange... tout ressemblait tellement à sa maison d'avant, mais en même temps, tout était si différent !

— Mais elle est toujours là, cette andouille ! s'exclama-t-il
en voyant la peluche kakapo sur le rebord de la fenêtre.

Il cavala dans sa direction, grimpa sur la chaise, sur le
bureau, et se retrouva nez à nez avec l'intrus.

— Allez, dis-le ! T'es qui, voleur de parents ?! cria
Sirocco d'un air de défi.

...

— Tu pourrais répondre quand un kakapo te cause !

...

— Mais pourquoi sont-il tous si horribles ? gémit le perroquet en tapant de la patte sur l'appui de fenêtre. Le
choc sur le bois fit vibrer la tablette et l'étrange oiseau
tomba à la renverse, laissant Sirocco ahuri, les yeux rivés
sur cette chose qui gisait désormais par terre.

En redescendant de son perchoir, il alla doucement
tapoter le corps de l'animal. Pas un mouvement. Il s'ap-

prêtait à donner un coup de bec plus fort lorsqu'un pépie-
ment, à l'autre bout de la pièce, le fit sursauter.

Cela provenait de la grande table.

Dans la couveuse ? La même qui l'avait dorloté lorsqu'il
n'était qu'un minuscule poussin ?

Impossible !

Il s'approcha pourtant.

Si les meubles étaient en tout point identiques à ceux
qu'il avait enregistrés dans sa mémoire, leur disposition
n'était pas similaire, et pour grimper sur la table il dut
escalader une première étagère gorgée de livres, puis
sauter sur un meuble à tiroirs.

De là-haut, il avait une vue imprenable sur ce qui se
passait en dessous, dans le nid.

Quelle horreur !

C'est quoi, ça ?

« Noooooon ! c'est pour *ça* qu'ils ont fermé la porte ?
Qu'ils m'ignorent quand je viens les voir ? » se lamenta-
t-il en observant trois poussins échevelés qui se pelo-
tonnaient les uns contre les autres dans la couveuse.

— Sirocco ! Qu'est-ce que tu fais là ? cria Deidre en
entrant dans le laboratoire.

La surprise manqua de faire basculer le perroquet tout
ébouriffé de jalousie, en équilibre sur le meuble pour
mieux observer les intrus.

— Comment es-tu rentré ?... Ah, la porte d'entrée, mince ! Allez, viens, Sirocco, tu ne peux pas rester ici, gronda-t-elle très gentiment, en l'attrapant délicatement pour l'emmener dehors.

Mais le perroquet, envieux, ne pouvait quitter les oisillons des yeux, désespéré d'avoir définitivement perdu l'attention de ses parents adoptifs.

Deidre aurait tant aimé bercer contre elle son protégé devenu grand, et lui caresser doucement les plumes comme elle en avait l'habitude autrefois, mais...

La tête basse, il erra le long de la plage : ses pas le conduisirent presque machinalement sur le chemin qui menait à la falaise. Perdu dans ses sombres pensées, il ne prêta guère attention à ce qui l'entourait. Ni le vent cinglant ni cette odeur délicatement sucrée, apparue subitement, ne le troublèrent.

Soudain...

— Ça alors ? Qu'est-ce tu fais là, petit ? Ça fait un bail que je ne t'ai pas vu. T'étais où ? Je t'ai cherché partout.

— Hein ? Quoi ? Mais... ? C'est vous, Félix ? cria Sirocco en s'élançant vers son ami, les yeux soudain brillants, les plumes gonflées par la joie.

— Hé, hé ! Oui, c'est bien moi. Sacrée surprise, hein ! lança-t-il en dandinant son corps rondouillard.

— Ça ! Pour une surprise, c'est une surprise. Ça fait si

longtemps que je vous cherche ! Vous étiez où ? répliqua Sirocco en faisant le tour de Félix et en le frôlant timidement de ses ailes, comme pour s'assurer qu'il n'était pas victime d'une hallucination.

— Ben... dans le coin, pardi ! Bon, j'ai un peu vadrouillé, ici, là... Je cherchais un terrain avec une vue. Quitte à déménager, autant que ce soit pour un truc valable, non ? Dis donc, tu t'es empâté, on dirait... t'es presque aussi gros que moi, maintenant. Un vrai kakapo, le plus gros de tous les perroquets ! Tu savais ça ?

— Je savais quoi ?

Sirocco écoutait à peine, tout à la joie des retrouvailles.

— Qu'on détenait le record du plus gros perroquet du monde !

Voyant que Sirocco faisait une drôle de grimace, la tête penchée et le bec à demi ouvert, il renchérit :

— Si, si, je t'assure, ne fais pas cette tête-là, j'te raconte pas d'blagues ! Ouh là ! mais tout ça a failli me faire oublier l'essentiel. Tu d'vineras jamais qui est dans l'coin.

— Euh...

— Tu t'rappelles, j't'avais parlé d'un certain Richard Henry !

— Richard Henry ?... Le vieux kakapo ?

— Chuuut !

Félix haussa ses gros sourcils verts.

— Pas si fort, petit, tu vas le vexer !

Sirocco baissa la voix tout en plissant les yeux.

— Comment ça ? Vous voulez dire qu'il est là ?

— Ça t'en bouche un coin, hein ? Ouais, l'est à quelques mètres d'ici, en train de se baffrer d'une touffe de dracophyllum.

— Mais je croyais qu'il vivait loin.

— T'as une bonne mémoire, petit ! C'est vrai, mais y vient d'arriver. Par vol spécial. Tout droit direct de l'île Stewart, là où je suis né. Tiens, regarde, dit-il à Sirocco en pointant de l'aile la mer. Tu vois, là-bas ?

Sirocco écarquilla les yeux, puis secoua la tête de droite à gauche.

— Tu vois l'horizon ?

— C'est quoi ?

— Ben, fais pas l'idiot ! tu sais bien ! lui lança-t-il en tapant du pied sur le sol.

— Euh, non...

— Mais si, c'est là-bas, l'endroit où la mer et le ciel se rejoignent. Eh ben, là, sur l'horizon, c'est l'île Stewart que tu vois.

— C'est là où vous êtes né, Félix ? Et m'sieur Henry aussi ?

— Non, non, lui, l'est né dans une île encore plus grande, qu'on voit pas. L'est né dans des montagnes, qu'on appelle les Fjordland.

— Les Fjordland...? C'est un drôle de nom. Mais pour-quoi il viendrait de l'île où vous, vous êtes né, s'il y est pas né, lui? Je ne comprends plus rien...

— Attends! le mieux, c'est qu'y t'raconte lui-même. Allez, viens! Et d'un mouvement d'aile, Félix enjoignit au jeune oiseau de le suivre.

En se dandinant, Sirocco collant presque son aîné, ils cheminèrent côte à côte jusqu'à un bosquet de ghania bien dense. Caché derrière, Richard Henry, reconnaissable entre tous à sa coloration d'un vert beaucoup plus vif que celui des autres kakapos, se tenait à l'abri de la bise, mâchouillant un morceau d'écorce. Il leva la tête.

— Bien le bonjour! Est-ce bien vous, Sirocco, dont le sieur Félix m'a tant parlé?

— Je... oui, c'est moi... Il m'a... aussi beaucoup parlé de vous. Il dit que vous êtes une légende, chez les kakapos!

— Quel chantre! Je ne mérite point ces louanges!

Tout en parlant, Richard Henry faisait de petits tours sur lui-même, fermant les yeux et brassant l'air dans des effets d'aile dramatiques.

«Quelle drôle de façon de parler, et tous ces grands gestes... Il est drôle!» se dit Sirocco, sans oser deman-der au vieil oiseau la signification de ces mots étranges qu'il employait.

— Dites, damoiseau, cette île vous sied-elle ? Comment vous accommodez-vous de ces embruns marins, qui doivent quelque peu endommager votre plumage ?

Sirocco ouvrit des yeux tout ronds et ne put réprimer une furieuse envie de rire qu'il camoufla en toussotant.

— Euh ! euh... je la trouve plutôt chouette, cette île. Un peu petite, mais c'est tranquille.

— Pssst ! Félix, dites, il ne parle pas un peu curieusement, ce Richard Henry ? ajouta-t-il à voix basse.

— Comment ? Qu'ouïs-je ? s'exclama le vénérable oiseau dont l'ouïe justement, malgré son grand âge, n'était pas du tout défaillante.

— Rien, rien... bafouilla Sirocco. Je me demandais si... (Le fou rire menaçait de resurgir et il dut faire un immense effort pour le réprimer.)... Si vous aviez goûté aux délicieuses graines de mānuka ! Vous connaissez ?

— T'inquiète, lui souffla discrètement Félix, si t'avais son âge, tu parlerais pareil !

— Mon âge ? Vous voulez connaître mon âge ? renchérit Richard Henry, tout en se redressant fièrement.

— Non, non, je ne voulais surtout pas...

— Point d'inquiétude, je n'ai nulle honte de cette vieillesse qui rouille néanmoins mes articulations depuis quelques mois. C'est même la fierté qui m'étreint au souvenir de ces quatre-vingt-dix bougies soufflées le mois passé.

— Quatre-vingt-dix ! s'étrangla Sirocco.

Mais Richard Henry, le cou tendu et le bec légèrement relevé, trop absorbé par son long exposé, ne releva pas.

— Qu'il ne vous prenne pas l'envie de vous fier aux coquecigrues des humains qui ne me gratifient que de quatre-vingts années d'existence. Billevesées que leurs affirmations ! Ils ne savent point compter. Certes, nul n'était présent à ma naissance. Alors, totalement impossible pour eux de savoir avec exactitude quand j'ai vu le jour, sur les hauteurs de Kakapo Castle.

— Ouah ! vous êtes drôlement vieux ! ne put s'empêcher d'ajouter Sirocco, tout à la fois intimidé et amusé par cet oiseau aux airs pompeux mais pas impressionnant.

— Chuuuut. T'as pas honte, petiot ? siffla Félix avec de grands moulinets d'ailes pour faire taire l'impudent.

— Euh, non... Vous ne faites pas du tout votre âge, monsieur ! Et Kakapo Castle, c'est quoi ? embraya-t-il en sautillant d'impatience.

— Mon domaine ! Un luxueux château pour kakapos. Si beau que certains n'hésitèrent point à venir me défier pour tenter de me le voler ! Dans le combat, un certain Adler a perdu un œil, un autre la vie, et moi j'ai réussi à garder mon territoire. Puissent vos yeux un jour embrasser la vue mirifique qui se déploie de là-haut ! lança-t-il d'un ton cérémonieux, tout en ouvrant grand ses deux ailes. Savez-vous, très cher damoiseau, que cette résidence seigneuriale fut construite à la force de mon bec et de mes pattes ? J'y ai installé deux abris pour dormir, trois amphithéâtres pour pratiquer le chant, le tout relié par l'intermédiaire d'un réseau de sentiers sis au cœur des montagnes dentelées des Fjordland.

— Vous viviez dans la montagne ?

— Mais absolument, jeune kakapo, entouré de pics enneigés qui tutoyaient le ciel et surplombaient la vallée de Gulliver.

— Ça devait être magnifique ! répliqua Sirocco, rêveur.

— Le parangon de la beauté, pouvez-vous même dire ! Si le hasard vous amène un jour à musarder dans ces contrées, jouvenceau, vous pourrez encore fouler les chemins que j'ai creusés et poser votre croupion sur les fondations de ma vaste demeure. Malheureusement, depuis quarante ans, plus personne ne chante sur ces hauteurs...

— Quarante ans ?

— Tout à fait, cher jeune homme, vous avez même devant vos yeux le dernier kakapo dont le chant a retenti dans la vallée de Gulliver.

— Le dernier ? Oh !... siffla Sirocco, qui avait perdu le fil et du mal à suivre ce charabia.

— Tout à fait, le dernier ! clama le perroquet. Et savez-vous pourquoi je m'appelle ainsi ? Richard Henry, ce n'est pas un nom d'oiseau, ne vous en êtes-vous point fait la remarque ?

— Euh... non, pas vraiment...

Bien que fasciné par le personnage, il commençait à avoir un peu marre de cette logorrhée.

— Billevesées ! vous n'avez pas pu ne point remarquer que je possédais un double nom, moi !

Sirocco baissa la tête, comme pris en faute.

— Ces jeunes... ! quel manque de curiosité ! Figurez-vous que je ne suis point le seul et unique Richard Henry. Il en existait un autre avant moi !

— Ah bon ? vous l'avez connu ?

— Non... non, non ! Enfin, je ne le pense pas.

— Et... c'était qui, cet autre Richard Henry ?

— Aaaah ! un grand monsieur ! Un héros pour nous, les kakapos ! clama-t-il devant son auditoire ébahi et captivé. Nous pouvons affirmer qu'il nous a SAUVÉS de l'extinction !

Septembre 1900, île de la Résolution

Les rafales de vent glacées arrivant de l'océan font danser la flamme de la lampe-tempête posée sur le bureau et grincer les planches de bois des murs, qui semblent tenter de se libérer des clous les rattachant aux poutres. Depuis toutes ces années, il aurait dû s'habituer à ce froid humide qui transperce jusqu'à l'os, mais les deux cents jours de pluie par an en moyenne qu'il a enregistrés depuis 1894, date à laquelle il s'est installé ici, sur l'île Pigeon, décidément il ne peut s'y faire. Il se lève pour remettre une bûche dans le poêle et s'emmitoufle dans une couverture pour continuer à travailler à la rédaction de son livre, *The Habits of the Flightless Birds of New Zealand; With Notes on Other New Zealand Birds*[1]. Il est encore bouleversé par la photographie qu'il a prise et développée hier dans la chambre noire improvisée, aménagée avec de lourds rideaux sombres, au fond du coin cuisine de sa cabane. Il essaiera d'en réaliser d'autres dès que le temps le permettra, et les insérera dans son livre. Un kakapo! L'un des spécimens qu'il a capturés dans les Fjordland pour le réintroduire sur l'île de la Résolution, à côté d'ici, dont il est le gardien...

Bien qu'épuisé après avoir suivi ce perroquet toute la journée, il a ramé plus vite que d'habitude pour rentrer et annoncer la bonne nouvelle à Tim, son assistant.

— Une photo! Je crois que j'ai enfin capturé un kakapo sur la plaque photographique! s'est-il écrié en ouvrant

---

1. *Les Mœurs des oiseaux néo-zélandais incapables de voler, et notes sur les autres oiseaux néo-zélandais*, Wellington, 1903. (Titre traduit par l'auteure.)

la porte, son chien Lassie aboyant à ses côtés, comme pour faire écho à la joie de son maître.

À l'annonce de cette grande nouvelle, Tim a exécuté sur le parquet quelques pas de haka, une danse māori, avant de finir de préparer le repas, un ragoût de mouton agrémenté de kūmara.

— Sais-tu combien d'oiseaux nous avons sauvés des belettes, des furets, des chats et des hermines? lance l'ornithologue entre deux couinement de planches.

— Beaucoup, monsieur Henry!

— Je viens de vérifier pour le chapitre de mon livre qui est consacré à cette opération : quatre cents! Quatre cents kiwis et kakapos, clame-t-il fièrement, tandis que dehors l'orage se déchaîne et manque d'éteindre la flamme de la lampe qui résiste, coûte que coûte. J'ai reçu un nouveau rapport du gouvernement avec le bateau du ravitaillement, mardi. Tu te souviens de l'article sur les lapins, pour lequel tu m'avais aidé?

— Celui où vous parliez des dégâts provoqués par ces bêtes que les Blancs ont introduites pour plaire aux chasseurs?

— Exactement! Ça y est, maintenant ils reconnaissent la gravité de la situation pour les espèces locales, en particulier pour les kakapos qui se nourrissent de jeunes herbes et pousses, celles que les lapins bouffent en quantités astronomiques. Tu te rends compte! Il leur a fallu des années pour l'admettre. Mais entre-temps, ils ont relâché tous ces furets, belettes et hermines. Ça devait tuer les lapins...

L'ornithologue passe le reste de la soirée plongé dans ses notes et la rédaction de son livre, tandis que Tim est parti réparer la coque de la barque qui commence à prendre l'eau.

Le lendemain, il n'y a plus aucune trace du déluge, et les nuages, de légers amas cotonneux, semblent avoir été essorés de toute l'eau qu'ils contenaient. Richard Henry sait que cela n'est que provisoire et il se dépêche d'enfiler ses bottes, son chapeau de feutre, et attrape son matériel afin de se rendre sur l'île de la Résolution le plus vite possible, pour y poursuivre ses observations des kakapos. Un yacht est au mouillage dans la baie et, tandis qu'il longe la magnifique embarcation, l'un des touristes à bord l'apostrophe.

— C'est vous qui surveillez l'île?

— Oui, pourquoi?

— On vient de voir un drôle d'animal. Il est sorti de l'eau et s'est mis à courir sur la plage en direction de la forêt.

— Quel animal? réplique brusquement Richard Henry, soudain inquiet.

— Vu la forme, la taille et la démarche... je dirais une belette.

— Une belette ? Impossible !

— Je vous assure, je ne suis pas le seul à l'avoir vue ! Nous étions tous fascinés par sa façon de nager. On n'avait jamais vu ça auparavant !

— Je... Merci pour l'information, réplique-t-il d'une voix cassée tout en s'éloignant à la rame vers la plage.

Il ne peut pas y croire. L'île est bien trop loin des autres, où vivent ces redoutables intrus. Et il n'y en a jamais eu ici. C'est tout bonnement impossible !

Les jours suivants, il sillonne l'île avec Lassie, affublée de l'étrange muselière en bois qu'il a fabriquée pour éviter que la chienne ne s'en prenne aux kakapos. Elle les détecte si facilement ! C'est grâce à elle qu'il a pu réaliser toutes ces observations, notamment ce jour où elle a trouvé un perroquet gonflé comme une baudruche, en train d'émettre un son envoûtant. S'il l'avait déjà entendu auparavant, jamais il n'avait songé au fait que cela pouvait être un kakapo. Bien que l'éventualité d'une belette sur l'île lui semble irréelle, il ne cesse d'y penser tous ces jours, tandis qu'il inspecte les terriers des oiseaux et prélève leurs restes de nourriture, afin de dresser l'inventaire le plus complet possible des aliments inscrits à leur menu.

Mais, tandis qu'il est penché dans le sous-bois pour inspecter quelques traces, il aperçoit sur le sentier une forme, aussi droite qu'un I, qui l'observe. À peine a-t-il levé les yeux qu'elle retombe sur ses quatre pattes et détale dans les buissons, sous les aboiements de Lassie qui vient elle aussi de la repérer.

Richard Henry est abasourdi. Il vient de voir une belette. Ainsi, c'était donc vrai...

Abattu, il rentre plus tôt que prévu à l'île Pigeon, dans la chaleur de la bicoque de bois.

— Tim...

— Oui, monsieur Henry ?

— C'est fini. Tout ça, ça n'a servi à rien.

— Je ne comprends pas...

— Les belettes ! Ça y est... j'en ai vu une, moi aussi. Elles sont arrivées jusqu'ici. Je ne sais pas comment elles ont pu nager sur une telle distance, mais le fait est... elles sont là. Nos kiwis et kakapos n'ont plus aucune chance, ils vont être dévorés, comme ailleurs. Moi qui croyais que ces îles pouvaient devenir des abris pour les sauver de l'extinction. Je me suis trompé sur tout. Un échec cuisant, voilà ce que c'est. Toutes ces années, tous ces efforts... pour rien !

Les mois suivants, Tim et lui tentent de capturer les intrus, sans succès : leur nombre ne cesse d'augmenter,

et les kakapos et kiwis de périr sous leurs mortelles mor-
sures. Bientôt, il ne reste plus un seul des kakapos qu'ils
ont sauvés et, dévasté, Richard Henry envoie sa démis-
sion au gouvernement. Malheureusement, sa démis-
sion est refusée et, huit ans durant, il doit rester vivre
ici, loin de tout, impuissant, à observer ce désastre qu'il
n'a pas su éviter.

Si le jeune perroquet avait bien failli se mettre à somnoler au début du récit, sa lourde tête penchant mollement sur le côté, sursautant chaque fois que l'ancien
élevait la voix, l'arrivée des prédateurs sanguinaires
l'avait réveillé pour de bon, et tenu en alerte.

— Mais... si les belettes nous ont tous dévorés, pourquoi
vous dites que ce Richard Henry humain nous a sauvés ?

— Ha, ha ! C'est que, voyez-vous, jeune oiseau, si son
entreprise a échoué, son idée de nous isoler sur des îles
a été reprise plus tard, par d'autres. Si nous sommes ici,
c'est grâce à lui ! Il avait trouvé *la* solution... mais pas *la*
bonne île !

Les trois perroquets restèrent un instant silencieux.
Le regard tourné vers l'horizon, leurs pensées volèrent
jusqu'au pauvre Richard Henry, qui ne saurait jamais
qu'il avait si grandement contribué à la sauvegarde de
leur espèce.

Tel un funambule, le soleil dansait déjà sur l'horizon lorsque Sirocco quitta Félix et Richard Henry. Sa petite tête était farcie d'informations qui se mélangeaient comme les pièces d'un puzzle. Tout en marchant machinalement dans la lande, sur ce chemin qu'il avait maintes fois emprunté le long de la crête pour redescendre vers la plage, il tenta de mettre de l'ordre dans tout ce capharnaüm. Il ne remarqua la silhouette immobile au milieu de sa route que lorsqu'il buta dedans, choc qui déclencha un cri perçant.

La surprise le fit bondir et il atterrit dans une touffe d'herbe, les pattes en l'air.

Le cri strident reprit de plus belle, tandis que la créature s'approchait de Sirocco qui, coincé dans la végétation, ne pouvait s'enfuir. Noir et blanc, avec une balafre jaune au niveau de l'œil, elle ne disait rien qui vaille au perroquet, qui tenta tant bien que mal de s'extirper de ce carcan végétal. Le son reprit, tandis que la chose s'approchait un peu plus et venait tâter de son bec rose le corps dodu de Sirocco, qui ne put que gémir d'angoisse.

Puis, aussi soudainement qu'elle était apparue, la forme fit demi-tour et s'enfuit en se dandinant sur le sentier, laissant le perroquet souffler de soulagement. À nouveau sur ses deux pattes, il laissa passer quelques instants avant d'aller voir où la chose s'était carapatée ; mais elle avait disparu. En scrutant le sol, il remarqua les traces qu'elle avait laissées : une sorte de triangle dans lequel se dessinaient trois doigts. Soudain, il réalisa qu'il connaissait ces empreintes. C'étaient les mêmes qu'il avait vues le long de la plage quelque temps auparavant. Il avança précautionneusement pour tenter de voir le fuyard. Peine perdue. Se souvenant que ces traces finissaient dans la mer, il eut alors l'idée de s'approcher du rebord de la falaise, d'où il avait une vue imprenable sur la plage.

Rien.

Mais au moment où il s'apprêtait à reprendre tranquillement la route pour rentrer chez lui, dans sa souche douillette, il aperçut la mystérieuse créature qui surgissait d'un buisson en contrebas et se dirigeait vers la plage. « Quelle démarche bancale ! » se dit-il en l'observant osciller à droite puis à gauche à chaque pas. Fasciné, il ne put la quitter des yeux, jusqu'à ce qu'elle franchisse le ruban d'écume abandonné par les vagues venues s'affaler mollement sur le sable. Puis, d'une posture verticale, elle passa à l'horizontale avant de plonger et disparaître dans les tourbillons bleus de l'océan.

Sirocco n'en revenait pas.

La chose avait plongé ! Plongé dans cette chose liquide et froide... « Brrrrrrr ! » Il frissonna à l'idée d'être à sa place. Intrigué, il voulait voir de plus près et suivit les traces de l'animal jusqu'à la mer. En faisant de petits bonds à l'approche de chaque vague, histoire de ne pas se mouiller les pattes, le perroquet scruta cette surface liquide, à l'affût d'une quelconque trace de la bête. Il eut beau se concentrer, il ne distingua rien d'autre que les rides gris bleuté de l'océan. Aurait-elle été engloutie ? Cette eau salée serait-elle une chose vivante ? Un monstre qui dévorait les imprudents ? Par précaution, Sirocco recula de quelques pas, puis, ne voyant toujours rien, il décida de rebrousser chemin.

9,
Le grand sauvetage

Cet épisode dramatique ne cessa de hanter la mémoire de Sirocco et, dès qu'il en eut l'occasion, il se rendit sur la plage, au cas où le monstre aurait recraché la mystérieuse chose. Mais, chaque fois, il revenait bredouille : même les empreintes dans le sable avaient désormais été gommées par l'eau et le vent qui soufflait de plus en plus fort sur l'île de la Perle.

C'est Félix, une fois de plus, qui allait lui donner la solution de cette énigme, non sans s'être auparavant légèrement moqué de sa naïveté.

— Un monstre ? tu pense que la mer est un monstre ? T'es un p'tit rigolo, Sirocco, mais j't'assure, tu peux patauger dans l'eau, la mer ne te fera rien, à condition que tu restes près du bord.

— Mais alors, la bête que j'ai vue disparaître ? Elle a pourtant bien été engloutie par toute cette eau !

— Mouais, si tu veux. L'a plongé. Dans la mer. Pour pêcher.

— Pêcher ? C'est quoi, ça ?

— Ben, attraper des poissons.

— Des poissons ?

— Ah, là, là, faut tout t'apprendre. Les poissons : ces petites bestioles gluantes, recouvertes d'une drôle de peau sans plumes et qui vivent sous l'eau. Nous, on en mange pas. T'en as jamais vu ? Sur la plage ? toutes desséchées ?

— Ces choses qui sentent très mauvais ? Pfiou... oui, je crois que j'en ai vu.

— C'est exactement ça. Eh ben, la bête que t'as vue, figure-toi qu'c'est un oiseau, comme nous ! Fais pas cette tête, c'est un cousin : lui non plus, y sait pas voler. Mais l'aime pas les fruits de mānuka ou de rimu comme nous autres, seulement les poissons.

Sirocco ne put réprimer une grimace de dégoût.

— Un oiseau, qui sait pas voler... C'est un autre perroquet, alors ?

— Non, non ! Du tout ! C'est un manchot. Y s'appelle le manchot à œil jaune.

— Ben, ce... manchot, il a bien failli m'agresser avant de disparaître dans l'océan. Pfff ! j'ai eu drôlement peur.

Félix éclata de rire et il lui fallut un long moment avant de pouvoir reprendre son souffle et son sérieux.

— T'as cru qu'il allait t'bouffer ? T'es trop drôle, petit ! Bon, j't'accorde qu'y sont un peu soupe au lait et un rien bruyants, ces manchots, mais tu crains rien !

— Quand même, il a voulu me pincer avec son bec... répliqua Sirocco, piqué au vif, qui ne voulait pas passer pour une mauviette.

— Tiens, viens, j'vais t'montrer un de leurs repaires... Suis-moi !

Les deux kakapos s'enfoncèrent dans la forêt, jusqu'à atteindre un énorme conifère dont le tronc penchait fortement sur le côté, comme s'il allait se coucher sur le sol.

— Regarde là-bas, au pied de l'arbre...

— Où ça ? interrogea le jeune oiseau.

— Juste à côté de la grosse racine qui sort de terre, tu vois l'tas de brindilles ?

— Euh... Oui, ça y est ! je crois que je vois.

— Eh bien ça, petit, c'est un nid d'manchot. Si tu restes suffisamment longtemps par ici, tu l'verras rappliquer, ton agresseur ! Tu veux qu'on l'attende ?

— Ben, euh... non, pas trop. Je crois que je vais rentrer chez moi, j'ai un peu faim, Félix, faut que j'aille chercher des écorces et des fruits.

— Ah, ah! Allez, t'as raison, de tout' façon, tu les rever-
ras bien tôt ou tard, les manchots. Vont bientôt pondre,
si j'me trompe pas. Ça va grouiller dans les bois! s'exclama-t-il en éclatant de rire face à la mimique effrayée
de son jeune ami. Allez, j'te laisse, moi aussi faut qu'j'aille
remplir mon estomac.

Sur le chemin du retour, Sirocco ne put s'empêcher de
regarder partout autour de lui, dans la crainte de retom-
ber sur un de ces oiseaux bizarres. Quoi que Félix lui
ait raconté, il n'avait pas plus confiance dans ces éner-
gumènes que dans ses détestables voisins kakapos. Et
puis, son ami avait beau dire, il ne s'était pas fait attaquer, lui! Il n'avait pas vu ce regard jaune et mauvais que
le manchot avait lancé!

«Maintenant que je connais les traces qu'ils laissent
derrière eux, je vais tout faire pour ne pas recroiser leur
chemin, se jura-t-il.

Un peu abattu par cette nouvelle épreuve qui lui faisait une fois de plus regretter sa douce vie passée auprès
de ses parents adoptifs, le jeune perroquet retourna se
réfugier dans sa souche, non sans un petit détour par la
maison, au cas où...

Mais cette fois encore, la porte était fermée à double
tour.

Plusieurs mois s'écoulèrent paisiblement pour Sirocco, lorsque au beau milieu d'une journée, alors qu'il ronflait tranquillement dans sa souche, bercé par la douce rumeur animale de la forêt, il fut réveillé en sursaut par Félix.

— Debout là d'dans! hurlait le gros perroquet, tout ébouriffé d'excitation. Allez, bouge ton croupion, Sirocco, y a urgence!

— Hein? Quoi? C'est toi, Félix qui me parles? marmonna l'oiseau, qui peinait à ouvrir les yeux dans ce soleil éclatant.

— Qui ça peut être d'autre?! Allez, dépêche-toi. C'est Richard Henry.

— Richard Henry? répéta Sirocco, étonné, en écarquillant les yeux et en se dandinant mollement hors de son nid douillet.

— Pas besoin d'répéter comme un perroquet, c'est bien d'lui que j'te parle! L'a besoin de nous. Vite!

— Je... j'arrive, s'écria Sirocco tout en s'élançant à la poursuite de son ami qui s'enfonçait déjà à pas de course dans la forêt sans jeter un regard en arrière.

— Qu'est-ce qui lui est arrivé? hurla le jeune perroquet.

— Tombé... trou... coincé, criait Félix, entre deux enjambées.

Au terme d'une course soutenue de plus d'une heure qui laissa Sirocco totalement essoufflé et hirsute, les deux oiseaux arrivèrent à destination : un amas d'énormes blocs de granit à demi engloutis par la forêt.

— Il est où ? hasarda Sirocco en scrutant le paysage autour de lui.

— Là, sous nos pattes, petit ! scanda Félix tout en pointant de l'aile une crevasse, à trente centimètres.

— Là-dessous ?

Sirocco s'approcha et se pencha pour inspecter la faille.

— Je ne vois rien, là-dedans. Tu es sûr qu'il est là ?

— Aussi sûr que j'm'appelle Félix !

Comme pour répondre aux interrogations des deux perroquets, un cri plaintif filtra des entrailles de la pierre.

— Là, t'entends ? s'écria Félix tout excité, les ailes tournicotant dans tous les sens.

— Oui, mais... Comment on va le sortir de là ?! Je ne le vois même pas, répondit Sirocco qui s'était allongé sur le sol, la tête à moitié enfoncée dans la crevasse.

— Justement, j'ai une idée. Tiens, viens m'aider, tire sur c'morceau d'écorce avec moi, lança le gros perroquet en équilibre sur une branche, et tirant de toutes ses forces avec son bec. Aide-moi, on va y arriver.

Durant une demi-heure, les deux oiseaux s'affairèrent, non sans quelques petites chutes heureusement anodines, à défaire un lambeau d'écorce d'un tronc d'arbre.

— On y est presque. Tire plus fort ! cria Félix.

Oh ! hisse ! Oh ! hisse !

— On y est, ça va aller. Un dernier coup, allez, plus fort, Sirocco !

Les pattes en appui sur le tronc, le jeune oiseau ne ménagea pas ses forces et, lorsque le fragment d'écorce se détacha enfin de la base de l'arbre, il s'écroula en arrière, provoquant un rire nerveux chez son ami qui avait pris soin de tout lâcher pour ne pas tomber lui aussi.

— Viens par là, grouille-toi ! hurla Félix, et amène l'écorce, faut la basculer dans l'trou. Mais lâche pas, surtout !

— Je n'y arrive pas, c'est trop lourd ! glapit Sirocco qui, avec son bec, tirait de toutes ses forces l'énorme charge.

— Allez, un effort, petit ! scanda Félix en tapant des ailes pour encourager son compagnon, sans pour autant aller l'aider. Faut qu'on l'décoince, le Richard Henry !

Après moult efforts, le jeune perroquet réussit enfin à traîner l'écorce, qui allait servir d'échelle, près de la crevasse. Il restait encore à la faire basculer dans l'interstice sans lâcher l'extrémité afin que le vieil oiseau puisse s'y agripper et y grimper pour s'extirper de cette prison dans laquelle il était coincé depuis la nuit d'avant.

Une heure durant, les deux perroquets bataillèrent, jusqu'à enfin trouver un endroit où faire passer l'écorce afin qu'elle atterrisse au fond du puits.

— Monsieur Richard Henry, vous êtes là ? cria Sirocco.

Pas de réponse.

— Monsieur ?! s'époumona de plus belle le jeune oiseau, cramponnez-vous, nous venons vous sauver.

Un faible son retentit des entrailles de la pierre sans que les deux perroquets en surface parviennent à en déchiffrer le sens.

— Faut faire vite, doit étouffer là d'ssous, le vieux ! lança Félix en trépignant sur place. Tu crois qu'il a vu notre échelle d'écorce ? continua-t-il. Peut-être qu'en la bougeant tant bien que mal dans la crevasse...

— Monsieur Henryyyyyyyy ! brailla Sirocco

De nouveau, une plainte s'échappa de la pierre.

— Il est là, allons-y, continuons à bouger notre écorce ! reprit Félix en tournant autour de la faille, la peau de l'arbre solidement coincée dans le bec. Ah ! Attends, j'sens un truc. Ouais, ça y'est ! l'a dû attraper un bout. Viens m'aider à t'nir.

Les pattes aussi solidement ancrées que possible sur les rares aspérités de la roche, les deux perroquets tinrent bon, parvenant à ne pas trop glisser, le temps que leur vieux compagnon escalade lentement le bout d'écorce et réussisse à refaire surface.

— Enfin ! soupira Richard Henry en sortant la tête hors du trou et s'extirpant de sa geôle de pierre, vous m'avez bien fait lanterner ! ne put-il s'empêcher de vitupérer.

— Mmh, grommelèrent en chœur, choqués, ses deux sauveurs. Peut pas nous r'mercier, plutôt ? ajouta Félix sous cape, vexé de l'outrecuidance de son aîné.

— Néanmoins, je me dois de rendre grâce à votre initiative qui, sans nul doute, m'a sauvé la vie, continua Richard Henry d'une voix rauque, tout en gonflant ses plumes.

— Pas trop tôt ! grogna Félix en donnant un coup de patte rageur dans un caillou. Sirocco hocha discrètement la tête en signe d'approbation, vexé lui aussi.

— Sans flagornerie aucune, poursuivit Richard Henry, il me faut avouer que je n'ai jamais pu compter sur une telle paire d'amis. Venez, que je vous gratifie d'une accolade de reconnaissance ! s'exclama-t-il en ouvrant ses ailes aussi largement que possible.

À ces mots, Félix et Sirocco, qui avaient la tête baissée de dépit, se redressèrent et exhibèrent, en se regardant l'un l'autre, un grand sourire qui se transforma en fou rire.

Sans bien comprendre quelle mouche les avait piqués, Richard Henry les observa jusqu'à se mettre, lui aussi, à rire à gorge déployée. Ils vinrent se serrer contre lui, puisqu'il étendait encore ses ailes.

— Je me sustenterais bien de quelques fruits et champignons, leur confia-t-il une fois la crise d'hilarité passée. Cette aventure a attisé mon appétit.

Les deux compères se regardèrent, hochèrent la tête et répondirent d'une seule voix :

— On grignoterait bien un p'tit en-cas, nous aussi !

10,
Le philtre d'amour

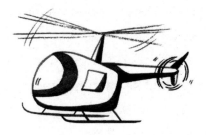

Bien qu'il n'aurait jamais osé l'avouer à Félix, Sirocco avait été fortement secoué par l'accident de Richard Henry. Cette tumultueuse aventure lui avait fait prendre conscience à quel point ses compagnons, mais aussi tous les kakapos, étaient vulnérables. Et s'ils disparaissaient vraiment ? Non ! Il ne voulait pas y penser. Pourtant, la boule qui s'était nichée dans son estomac et y tournicotait sans relâche lui rappelait qu'une telle mésaventure était vite arrivée et que leur avenir ne tenait qu'à un fil.

Ce n'était pourtant pas la seule chose que lui avait apprise le sauvetage du vieux kakapo. En quelques heures, Sirocco avait grandi. Ses initiatives et le zèle avec lequel il avait sorti Richard Henry du piège dans lequel il s'était fourré l'avaient rendu, d'un coup, beaucoup plus responsable et mature. Comme par magie, le perroquet pataud et parfois timide avait laissé place à un adulte.

Pour la première fois, en rentrant se coucher dans sa souche, le jeune oiseau n'avait pas fait de détour par la maison de Don et Deidre pour vérifier si la porte était ouverte. Il n'y avait même pas pensé, trop occupé à ressasser les événements de la journée. Les mois qui suivirent, s'il rencontrait ses parents adoptifs, il ne s'arrêtait pas toujours pour tenter d'aller grappiller une caresse ou un morceau de noix. Il pensait régulièrement, malgré tout, à sa vie d'avant dans le laboratoire, mais il était souvent bien trop occupé. Don et Deidre n'avaient cessé, aidés des bénévoles, de suivre à distance les allées et venues de leur protégé, grâce au collier émetteur. Et, cette nouvelle indifférence, loin de les attrister, les réjouissait, même s'ils avaient parfois le cœur serré de ne plus pouvoir le dorloter comme lorsqu'il n'était encore qu'un frêle poussin échevelé. Et chaque jour qui passait, bien qu'extrêmement occupés par la finalisation du plan Hokahoka et l'éradication définitive des kiores meurtriers sur Whenua Hou, ils scrutaient autant que possible, de loin, fiers et silencieux, les progrès de leur protégé, émerveillés qu'il s'émancipe enfin. Trois nouveaux oisillons piaillaient dans les couveuses du laboratoire. Mais ils ne s'accordaient pas le droit de s'y attacher, afin de ne pas renouveler l'erreur commise avec Sirocco, qui avait conduit à sa trop forte imprégnation, bien que ce dernier semblât enfin s'en être débarrassé.

Toutefois, Sirocco avait encore énormément de choses à apprendre et, en compagnie de Félix, il continuait à apprivoiser les secrets de la forêt. Le perroquet bougon s'était pris d'une affection toute particulière pour son apprenti, dont la curiosité et les hésitations perpétuelles – était-il un peu un enfant d'humains ? s'entendrait-il un jour avec les siens ? – l'émouvaient plus qu'il ne l'aurait admis...

Souvent, ils se retrouvaient sur la falaise, face à la mer. Là, Richard Henry les rejoignait parfois et, dans un ciel d'encre piqueté de mille et une étoiles brillantes, tous trois discutaient de tout, de rien, de leur vie de kakapos, de leur futur et de Whenua Hou qui leur manquait. Sirocco n'avait pas oublié ses précédentes mésaventures et, en dehors de ses amis, il continuait à éviter autant que possible les autres kakapos, tout comme les manchots sournois. Au fil du temps, les querelles de voisinage se faisaient de plus en plus fréquentes. Entre cette femelle qui clamait à coup de griffes et de bec que ce mānuka lui appartenait, ce mâle qui avait squatté le nid de Félix en son absence, ou cet autre qui avait commencé à emménager chez Sirocco, pas de doute possible, l'île de la Perle commençait à être bien trop étroite et trop pauvrement fournie en fruits pour le petit groupe de kakapos.

Don et Deidre reculaient sans cesse le moment où ils pourraient à nouveau rapatrier tout le monde sur Whenua Hou. Mais finalement, un printemps, alors que les deux chercheurs effectuaient une visite de routine pour vérifier que l'île était bel et bien libérée de ses sanguinaires occupants, ils aperçurent quelques bourgeons floraux à peine éclos en haut d'un grand rimu. C'était le signe qu'ils attendaient sans le savoir.

Aussitôt rentrés au laboratoire, tous deux s'affairèrent au deuxième et normalement dernier grand déménagement. Les caisses de transport furent assemblées, nettoyées, et les bénévoles arrivèrent petit à petit. Aileen était de nouveau de la partie, tout comme Lizzie et Raoul, qui n'auraient manqué cela pour rien au monde. Les avaient rejoints de nouveaux étudiants dont Sarah, une Canadienne, et Solveig qui, bien qu'habitant Christchurch, l'une des grandes villes de Nouvelle-Zélande, n'avait encore jamais croisé de kakapo vivant. Une forêt d'antennes se promenait désormais dans le sous-bois, afin de capter les signaux émis par les colliers radioémetteurs de chaque oiseau. Pas question d'en laisser un seul derrière, comme Zéphyr dont on n'avait retrouvé aucune trace, faisant craindre le pire, tout en espérant un miracle, car une fois l'île de la Perle quittée...

Ce jour-là, Sirocco reconnut les autres humains qui l'avaient capturé plusieurs années auparavant, et il ne paniqua même pas en les entendant s'approcher de son refuge. Il ébouriffa néanmoins son plumage, histoire de montrer qu'il n'appréciait guère d'être dérangé dans sa sieste, mais se laissa faire lorsque des mains gantées l'attrapèrent. Il n'avait même pas envie de donner un coup de bec pour la forme.

« Et ça recommence ! se dit-il. Encore un autre voyage dans la boîte... » Mais malgré un soupir en pensant à la souche dont il aimait tant le confort, il ne pipa mot et attendit sagement de découvrir où ce nouveau périple allait le mener. Il se savait impuissant. Il espérait, tout au fond de lui, retrouver sa maison, débarrassée de tous ces kakapos, petits, muets, agressifs ou géants qui avaient squatté sa couveuse et son enclos, et revoir Zéphyr, qu'il n'avait pas oubliée. Enfin, il espérait que Félix serait du voyage. Sans Félix... il frissonna. Et Richard Henry ?! Il avait encore vieilli ces derniers temps, et parlait de moins en moins... Supporterait-il un nouveau déplacement ?

« Je n'aurai pas peur ! Du tout ! » se convainquit-il, même s'il ne put réprimer un frisson d'angoisse à l'arrivée de l'hélicoptère.

— Nooooooon! pas cette chose bruyante à nouveau, ne put-il s'empêcher de gémir avant d'être emporté, comme les autres qui grognaient et criaient de mécontentement, plus fort que lui cette fois-ci, dans le ventre de la libellule géante.

— Espérons que ce soit bel et bien le dernier déménagement de nos kakapos! s'exclama Don, s'essuyant le front en regardant l'engin s'élever dans les airs.

— Les pauvres, ils ont été bien chahutés, ces dernières années. Mais avec le succès d'Hokahoka, ils devraient retrouver la sécurité et la sérénité.

— Croisons les doigts pour que tout se passe bien et que la floraison massive des rimus qui s'annonce nous apporte de belles surprises!...

Les deux scientifiques, comme pour se rassurer, se rapprochèrent l'un de l'autre, fixant d'un même regard l'hélicoptère devenir un point dans le ciel.

Après un vol aussi rapide qu'assourdissant, les caisses contenant les oiseaux furent débarquées sur la plage de Whenua Hou. Aussitôt, les bénévoles, en short et bottes de caoutchouc, les empoignèrent et, suivant les indications minutieuses des deux scientifiques, ils ramenèrent chaque oiseau à l'endroit précis où il avait été capturé, cinq ans auparavant. Si certains perroquets,

sentant probablement des odeurs familières qui éveil-
laient de lointains souvenirs se débattaient dans leurs
boîtes, d'autres, stoïques, ne bougèrent pas d'une plume,
attendant que ce remue-ménage prenne fin. Sirocco,
voulant garder son énergie pour parer à toutes les surprises, ferma les yeux jusqu'à ce que la porte de sa cage
soit déverrouillée.

L'ouverture des portes des prisons provisoires déclencha des réactions fort variées. Il y eut ceux qui se préci-
pitèrent à l'extérieur et coururent se cacher dans la
végétation, ceux qui rechignaient à mettre une patte
dehors, ou encore les téméraires qui n'hésitèrent pas à
donner un coup de bec vengeur au bipède le plus proche
avant de s'éloigner lentement, d'une démarche fière et
hautaine.

Quant à Félix, une fois que sa mémoire rouillée après
ces années d'exil fut dépoussiérée et remise en marche,
il retrouva, en s'ébrouant de plaisir, les yeux écarquil-
lés, la souche qui lui servait autrefois d'abri. L'oiseau ne
put s'empêcher de noter que quelque chose clochait –
mais il ne parvenait pas à identifier ce qui le chiffon-
nait. Rapidement, il oublia ce sentiment de malaise et
s'affaira à nettoyer, à grands coups de patte plus solides
que jamais, son réseau de sentiers et son abri. Il y avait
tant de brindilles et de feuilles mortes qui traînaient !

Les jours qui suivirent son retour, il souleva, transporta, gratta, creusa et aplanit, là où la pluie avait sculpté des dépressions. Plusieurs années de végétation avaient poussé. Le travail était colossal.

Tant à faire ! Ici. Et puis là aussi.

Vite. Et par là-bas aussi. « Je dois tout nettoyer avant... avant quoi, au fait ? » La question surgit dans sa tête, mais il l'oublia aussitôt, pour se plonger à nouveau dans ce grand décapage printanier.

Sirocco avait également retrouvé ses anciennes habitudes et son refuge, près de la cabane des toilettes. Le moisi avait quelque peu envahi les murs intérieurs, et il n'avait pas ressenti le besoin de se réinstaller si près de ses parents adoptifs, mais... après tout, c'était sa maison, ici.

Et sans arrière-pensées, il sautillait de joie de se savoir de retour chez lui, sur Whenua Hou et dans cette souche, même si elle n'était pas parfaite. L'autre île, c'était bien, mais là...

« Je vais peut-être pouvoir retrouver Zéphyr ! réalisa-t-il soudain, et enfin savoir ce que c'est que cette dynastie des vents dont elle m'avait parlé ! »

Tout excité à ces idées, il eut du mal à fermer l'œil, mais la fatigue l'emporta.

La fin d'après-midi et le vacarme des tuis jacassant dans l'arbre au-dessus de sa souche le réveillèrent, mais à peine était-il debout qu'il se précipita hors de son terrier pour retrouver ce chemin qu'il avait tant de fois parcouru. Aux abords de la grande pierre plate, sous le rimu, il n'y avait pas âme qui vive, pas même une trace de patte ou quelque relief de repas pour témoigner du passage d'un kakapo. Seul un amas de feuilles et de branches s'était amoncelé devant l'entrée du nid abandonné. Terriblement déçu, Sirocco se laissa tomber sur le tapis de mousse.

— C'est fichu ! Je ne saurai jamais ce qu'elle a voulu me dire, gémit-il...

Abattu, il décida tout de même d'aller rendre visite à Félix, qui avait dû retrouver ses quartiers non loin de là. Mais le perroquet, bien trop affairé dans son grand nettoyage de printemps, ne remarqua même pas l'arri-vée de son jeune ami.

Ce n'est que lorsque celui-ci eut rebroussé chemin que Félix se demanda s'il n'avait pas aperçu quelqu'un. Trop tard.

— Même lui, il m'ignore. Qu'est-ce que je leur ai fait, à tous ? À croire que je suis maudit !

La tête baissée, perdu dans ces sombres pensées, Sirocco s'en retourna cahin-caha, écrasant lourdement l'herbe de ses larges pattes, près de la maison où l'équipe de Don et Deidre s'était installée à nouveau. Eux aussi lavaient, époussetaient, frottaient et balayaient.

«Décidément, se dit le perroquet, c'est une manie! Qu'est-ce qu'ils ont tous à gratter et décrasser?»

Pourtant, il ne fallut qu'une journée pour que le kakapo, sans penser à ce qu'il faisait, se plonge lui aussi dans cette tâche qui semblait occuper *tous* les kakapos, en particulier les mâles, de l'île.

Un matin, dès potron-minet, il se surprit lui-même à débarrasser de toutes branches et feuilles mortes des bandes de sol d'une dizaine de centimètres de large entre la maison et la lisière de la forêt. Puis, entre le local à poubelles et la baraque des toilettes, il creusa frénétiquement une dépression de plusieurs centimètres de profondeur, tout en chantonnant. Le soir venu, il inspecta, satisfait, son travail, et s'écroula de fatigue dans son abri, au creux de l'arbre mort.

Le lendemain, rebelote.

Et les jours qui suivirent.

Mais quelle mouche l'avait piqué, lui aussi? Quand cette question venait le titiller, en général le soir, au moment de s'endormir, une minute après il roupillait profondément.

Et que dire de cet appétit soudain et gargantuesque pour les fruits de rimu encore verts? Jusqu'alors, il attendait toujours avec patience qu'ils soient bien mûrs et rouges pour les déguster.

« Et si j'étais malade ? » se demanda-t-il tout en continuant à siffloter et à gober, entre deux refrains, une pleine becquée de ces fruits, si abondants qu'ils faisaient pencher les branches des arbres jusqu'à toucher le sol pour les plus basses d'entre elles.

Ce n'était même pas juteux, ni sucré...

Il continuait pourtant à se goberger tout en délaissant les autres baies, fleurs et champignons qu'il avait pourtant coutume de déguster. Au bout de quelques jours, il commença à se sentir plus lourd, plus gros, mais il continua à se goinfrer.

L'envie de se renseigner auprès de Félix lui traversa bien l'esprit ; mais il avait trop à faire autour de son logis. Et puis, vu la façon dont il avait été snobé la dernière fois... mieux valait rester tout seul ! Il avait sa fierté, lui aussi.

Du côté de la maison, cela vibrionnait d'activité comme dans une ruche. Installés sur la terrasse, Raoul et Don confectionnaient de petites mangeoires dans des moitiés de tubes de plastique blanc coupés en deux dans leur longueur fermées à chaque extrémité et munies de couvercles articulés sur le dessus, tandis qu'Aileen et Solveig, installées dans le laboratoire, pesaient soigneusement noix, amandes et autres graines, qu'elles plaçaient ensuite dans des pots étiquetés avec les noms des différents kakapos : Flossie, Félix, Sinbad, Sirocco, Hoki, Tōitiiti, Rakiura... sans oublier Zéphyr.

Il était dix heures du matin lorsque Deidre et Lizzie revinrent de leur expédition en forêt.

— Trois autres mâles sont en train de chanter ! s'écria Deidre à l'attention de Don, qui releva la tête, un large sourire sur les lèvres.

— Génial ! Ça fait huit en tout, depuis le début de la fructification des rimus. C'est qui ?

— Lizzie a repéré Sinbad et Richard Henry, et moi, le gros Félix. Vous en êtes où ?

— On a presque fini : d'ici deux, trois jours, toutes les mangeoires seront prêtes. Nos femelles pourront pondre, nous serons là pour les aider à élever leurs poussins !

— Tu as vu l'inventaire des rimus dans la partie ouest de Whenua Hou que Sarah a ramené hier ?

— Oui, c'est incroyable. Tous les arbres croulent sous les fruits. On n'a pas eu une saison comme ça depuis 1997 ! Ils vont avoir une surdose de leur philtre d'amour, avec tout ça ! s'esclaffa Don.

— Pourvu que les naissances suivent ! Mais nos mâles ont l'air d'être à fond dans leurs chants amoureux !

Le même soir, sans qu'il comprenne ce qui lui arrivait, Sirocco ressentit une irrépressible envie de se lover au creux de cette dépression qu'il avait creusée derrière les toilettes des humains. Il tournicota, se dandina puis soudain... sa poitrine se gonfla. Elle gonfla tant que le perroquet doubla de volume, pour finalement ressembler à un ballon de baudruche recouvert de plumes.

« Qu'est-ce que c'est que ça ?... Je suis malade ?! »

En même temps que l'inquiétude le gagnait, un étrange bruit commença à sortir de son corps. D'abord sourd, le son gagna petit à petit en puissance, amplifié par la caisse de résonance formée par son corps empli d'air.

Boooom... booooom... boooooooooooooom !

« Qu'est-ce qui m'arrive ? » hoqueta-t-il entre deux mesures de cette étrange partition. Il avait bien entendu ces sons une fois, plusieurs années auparavant, mais la panique bloquait l'accès à sa mémoire.

— Je... je vais mourir ? booooooom... Au secours !!!!!! Boooooom... Deiiiiiidre !... Comment j'arrête ce truc ? Booooooooom...! Don, Donnnnn ! Boooooooom... J'ai peur ! Féliiiiiix... Boooooom !

Dans la maison, Don, plongé dans l'écriture d'un article sur les résultats du plan Hokahoka pour le compte d'une revue scientifique, se leva en sursaut de son bureau et se précipita dans la salle commune.

— Vous avez entendu ?

— Entendu quoi ? répliqua Deidre, occupée à éplucher, en compagnie de Sarah et d'Aileen, une montagne de carottes et de kūmara pour le dîner.

— Écoutez !

— Je n'entends rien.

Mais Deidre connaissait son collègue par cœur : il était écarlate d'excitation. Il se passait quelque chose !

— Moi non plus, surenchérirent en chœur les deux autres jeunes femmes.

— CHUT ! glapit Deidre, sans s'en rendre compte.

Don était hilare.

— Si, écoutez, là, maintenant !

Booooom... ! boooooooom !

— Nooon ! C'est Sirocco ? Il est en train de pousser son chant nuptial[1] ?!

Jetant son épluche-légumes dans l'évier, elle se précipita à la suite de Don vers la fenêtre du laboratoire donnant sur la partie arrière de la maison, là où Sirocco avait installé son aire de chant.

Et, éclairé par la lueur blafarde de la lune, ils l'aperçurent, recroquevillé dans le trou qu'il avait creusé, le corps aussi rond qu'un ballon se gonflant et se dégonflant au rythme des sons qu'il émettait.

---

1. Au printemps, pour séduire une femelle, les kakapos mâles se mettent à pousser un chant amoureux et à parader.

— Je n'arrive pas à y croire! clama Deidre, la voix tremblante d'émotion. Ça y est! Il est tout gonflé, comme une cornemuse. Notre Sirocco est enfin devenu un vrai adulte, un grand kakapo! Nous avons réussi! Notre premier poussin élevé à la main!

Et elle éclata en sanglots.

Personne ne nota la détresse de Sirocco qui ne comprenait pas ce qui lui arrivait, ses appels au secours étant engloutis par le chant, aussi puissant qu'un gong, qui sortait de tout son être.

Et au lieu d'aller rassurer le perroquet terrorisé par son propre corps qu'il ne parvenait pas à contrôler, l'équipe s'en retourna célébrer l'événement en débouchant une bouteille de délicieux sirop d'airelle fait maison.

À côté des sons du booming de l'oiseau perdu s'éleva bientôt le tintement des verres entrechoqués.

II,
Le concert

La première nuit fut terrible pour Sirocco, persuadé qu'une bête étrange s'était emparée de lui et allait le dévorer tout cru. Toutefois, le lendemain, en voyant un autre perroquet vivant non loin de lui subir les mêmes déboires, il comprit que la chose était loin d'être exceptionnelle. Il restait bien la possibilité que tous les kakapos soient atteints d'un même et étrange virus... mais l'idée ne l'effleura même pas. Et, petit à petit, au fil des nuits passées à chanter malgré lui, il s'habitua aux sons qu'il fabriquait.

Au bout de la quatrième nuit, il ressentit même un petit pincement, semblable à de la fierté.

Et bientôt, il mit tout son cœur à jouer cette partition étonnante et à faire en sorte qu'elle recouvre le jacassement des milliers d'oiseaux marins qui semblaient s'être ligués pour couvrir ses performances vocales. Il y mit tant d'entrain que sa mélodie s'entendait à plus de cinq kilomètres à la ronde, malgré le brouhaha ambiant. Il était tellement absorbé par ses activités de soliste qu'il ne remarqua même pas le solstice d'été, le 21 décembre, et sa courte nuit. Le chant était devenu une véritable obsession. À tel point qu'il ne se nourrissait plus, ou presque, et quittait à peine cette scène en forme de bol creusé dans le sol où il se produisait. Chaque minute semblait compter comme si elle était la dernière et Sirocco ne voulait surtout pas se laisser distraire par n'importe quelle autre activité devenue éminemment futile à ses yeux.

Désormais, il ponctuait ses gammes de balancements de pattes, de mouvements d'ailes, et tentait même de secouer sa tête emplumée tout en chantant. Un petit déhanchement à droite, un coup de tête vers la gauche. Et hop! il se propulsait dans la touffe de fougère juste à côté de la scène.

Néanmoins, tous ses efforts et ses performances de rock star n'attiraient guère la foule. Pas de défilés de fans enamourés cherchant à toucher l'artiste ni de foule scandant son nom... Sirocco! Sirocco! Non, juste une simple spectatrice qui, plusieurs semaines après le début de son marathon musical, s'arrêta pour l'observer, probablement par hasard.

«Enfin!» se dit l'oiseau.

C'était une kakapo timide, du nom de Bella Rose.

«Tiens... ce son grave ne me déplaît pas», se dit-elle en observant le petit mâle qui se dandinait devant elle. «Mmh... il n'est pas mollasson comme l'autre que j'ai entendu avant-hier, et plutôt pas mal. Et son plumage... bien verdoyant. Doit être en bonne santé. Je prends!» pensa-t-elle en écoutant attentivement son interprétation de la complainte du kakapo.

Deux heures s'écoulèrent sans qu'elle ait bougé la moindre plume, tout absorbée dans la performance de Sirocco.

«Peut-être ai-je enfin trouvé le père de mes futurs oisillons! Ce n'est pas trop tôt... trois semaines que je cherche un bon concertiste...»

Convaincue après un dernier solo, elle s'avança vers Sirocco qui, gonflé d'air, continuait à chanter.

Mais, loin d'être accueillie les ailes grandes ouvertes, à peine eut-elle fait un pas en direction du jeune mâle que ce dernier se dressa sur ses pattes et grogna de mécontentement.

Bella Rose ne se découragea pas.

— Je... Euh... Vous vous appelez comment? hasarda-t-elle timidement, la tête rentrée dans les épaules.

— Grrrrr! continua le chanteur, puis, voyant que cela ne suffisait pas, il fonça sur l'intruse et la mordit à l'aile droite. Laissez-moi tranquille! Allez-vous-en! Vous n'avez pas vu que c'était une propriété privée, ici?

— Je... bafouilla Bella Rose, surprise et vexée, avant de renoncer à toute explication, voyant que l'hurluberlu s'apprêtait à lui foncer dessus une nouvelle fois, tout bec dehors. «Pfft, quel imbécile!» se dit-elle en s'éloignant, désabusée.

— Non mais! Quel sans-gêne, celle-là! ronchonna Sirocco. Elle ne connaît pas la politesse? Oser me déranger, chez moi, alors que je suis occupé à répéter... Quoi? Elle revient? bougonna-t-il en entendant un froissement de feuilles juste derrière lui. C'en est trop, elle va voir de quel bois je me chauffe! rugit-il en s'élançant à la poursuite de l'importune.

Quelques jours plus tard, chez les humains, le dîner prenait fin et, tandis que Solveig faisait chauffer de l'eau afin de préparer une tisane de mauve et d'eucalyptus pour le groupe, Lizzie et Aileen s'affairaient autour de l'évier pour faire la vaisselle. Don, Deidre et Raoul étaient penchés sur la table et étudiaient la localisation des zones où chantaient les mâles kakapo. Quand soudain, un cri perçant retentit à l'extérieur.

Ils n'eurent pas le temps de se ruer dehors que la porte d'entrée claqua, laissant s'engouffrer comme un courant d'air Sarah, les yeux exorbités.

— Vous avez vu ? Vous avez vu ce qu'il m'a fait ? hurla-t-elle en pointant son cou du doigt. Regardez, je saigne ! Il m'a sauté dessus et a commencé à me donner des coups d'ailes puis de bec, je n'arrivais pas à le faire lâcher. Il est fou !

— Calme-toi ! calme-toi, lui dit Don en examinant ses plaies. Lizzie, tu peux aller chercher du désinfectant et un pansement, s'il te plaît ?

— Il est fou, ce perroquet, pourquoi il m'agresse ? Je n'ai pas fait tous ces kilomètres pour me faire attaquer !

— Il ne t'agresse pas, Sarah, la rassura Deidre, un large sourire aux lèvres. Au contraire... Visiblement, tu lui plais beaucoup !

Devant la grimace d'incompréhension de Sarah, elle ajouta :

— Si, je t'assure, il t'a probablement confondue avec une femelle kakapo !

Le reste de l'équipe, rassemblé autour de la victime, réprimait un fou rire.

— C'est Sirocco, continua Don ; nous l'avons élevé à la main, et j'ai peur qu'il ne préfère les jolies filles comme toi aux demoiselles kakapo...

Sarah ne savait trop comment réagir. Cela faisait à peine quinze jours qu'elle était arrivée, elle ne voulait pas piquer de crise de nerfs. Surtout pas devant ses collègues qui n'hésiteraient pas, elle en était certaine, à se moquer d'elle tout le reste du séjour.

Finalement, elle choisit d'éclater de rire, elle aussi.

— Je dois considérer cette attaque comme un compliment, alors ?

— On peut dire ça ainsi. C'est plutôt flatteur, non ?

— Et... il fait ça souvent ?

— Mmh... C'est notre gros problème. Il est trop imprégné. Et depuis qu'il a commencé à chanter, alors qu'il devrait chercher une petite copine kakapo, nous l'avons vu attaquer violemment une femelle qui le trouvait pourtant fort à son goût. Et te sauter dessus...

De son côté, Sirocco ne comprenait pas pourquoi il développait soudain cette agressivité à l'égard des autres perroquets. Ça ne lui ressemblait pas. Et puis, elle avait l'air plutôt sympa, cette... comment déjà ? Ah, oui ! Bella Rose.

« Qu'est-ce qui m'arrive ? Quelque chose cloche, mais quoi ?

» Le seul qui peut m'aider, c'est Félix ! »

Un soir de janvier, Sirocco abandonna à contrecœur son concerto et se décida à aller demander conseil à son ami, malgré l'accueil glacé que celui-ci lui avait réservé la fois précédente. Il n'avait plus le choix : seul Félix pourrait l'aider. Il n'eut aucun mal à le trouver, tant son chant voyageait dans la forêt à plusieurs kilomètres de distance. Deux femelles étaient embusquées non loin de la petite scène en creux où, gonflé comme une baudruche, Félix vocalisait. Tout absorbées par ce qu'elles entendaient, elles ne remarquèrent pas l'arrivée de Sirocco, pas plus que Félix. Mais cette fois-ci, le jeune oiseau était bien décidé à déranger son ami; même s'il grognait, c'était trop important!

— Félix... Félix, c'est moi, Sirocco! Il *faut* que je te parle.

— Mhmm... grommela son ami sans cesser d'émettre son booom amplifié.

— Juste deux minutes. Tu dois m'aider.

— Tu vois pas que j'suis vraiment occupé? C'est pas l'moment.

— Je sais, mais s'il te plaît, juste UNE minute. Après, je te laisse tranquille. Promis.

— Mhmm... bon, vas-y. Qu'est-ce que t'as, p'tit? grogna-t-il sans se retourner.

— Par où commencer?

— Eh, tu vas pas mettre deux heures à me dire ce que t'as sur le cœur parce que là, vraiment, j'ai pas l'temps.

— Je... je crois que je ne suis pas normal, Félix. Il y a un truc qui ne va pas chez moi.

Il se plaça devant son ami en prenant sa mine la plus déconfite.

— Un truc ? Un truc comment ?

— Ben... tu vois, je fais comme toi : je chante, j'aime bien, mais les filles kakapo, je crois qu'elles ne m'intéressent pas beaucoup.

— Pourquoi tu dis ça ?

— L'autre fois, une certaine Bella Rose est venue m'écouter, elle avait l'air chouette, et pourtant... je l'ai mordue et je l'ai chassée de chez moi. Je ne fais jamais ça.

— Arrête-toi d'chanter alors. Ça viendra à la prochaine saison.

— Attends, j'ai pas fini ! J'ai compris que quelque chose clochait vraiment quand j'ai sauté dans le cou de cette drôlement belle bipède. Sarah, elle s'appelle. Et puis j'ai réalisé hier que j'suis peut-être amoureux d'elle.

— Ah...

Sous le coup de cette révélation, Félix laissa s'échapper l'air qui gonflait encore son corps de chanteur et fit face à Sirocco, sa tête appuyée sur son aile, comme pour mieux se concentrer.

— Laisse-moi réfléchir...

Après un temps qui sembla interminable à Sirocco, le vieux perroquet se dressa :

— Oui ! C'est sûr... !

— Qu'est-ce qu'il y a ?

— J'ai une idée ! Reviens dans deux jours, normalement, ça devrait être bon.

12,
Tōitiiti

«Rakiura! Mais bien sûr! se souvint Félix en réfléchissant au problème de Sirocco. C'est elle que je dois aller voir. On avait pas mal causé sur l'île de la Perle, l'était ma voisine. M'avait raconté pour sa fille, Tōitiiti, enlevée par les bipèdes, elle aussi.»

Bien que fort occupé avec son grand concerto, Félix se résolut à perdre une soirée pour aller rendre visite à son ancienne amie. Le voyage fut assez long, car Rakiura vivait de l'autre côté de l'île et il lui fallut traverser toute la forêt pour parvenir à cette zone de pākihi balayée par les vents marins où elle avait établi son domicile.

En arrivant, Félix sentit une pointe d'angoisse l'envahir. Et s'il avait fait ce voyage pour rien? S'il avait parcouru l'île pour trouver son trou, creusé dans la terre, vide? Heureusement, sa peur fut vite balayée. Le bruit de ses grosses pattes dans les feuilles mortes fit sortir Rakiura, venue voir quel intrus osait pénétrer chez elle sans prévenir.

Diling, diling!

— Qu'est-ce que c'est qu'ce truc ? rugit Félix.

— Bonsoir, cher ami, répondit Rakiura en lissant ses plumes pour se faire belle, après avoir reconnu Félix à sa façon toute particulière de parler. Le bruit ? C'est une clochette.

— Quelle idée ! T'as vraiment besoin d'ça ?

— Ce n'est pas moi qui l'ai installée, je n'avais pas forcément envie d'entendre sonner chaque fois que je sors ou que j'entre dans mon terrier, comme tu peux l'imaginer !

— Si c'est pas toi...?

— Eh oui, ce sont les bipèdes... Encore eux !

— Mais qu'est-ce qui leur a pris, encore ?

— Tu te souviens de ce que je t'avais raconté à propos de Tōitiiti ?

— Justement, je venais pour ça...

— Ils ont décidé de ne plus prendre de risque et de tout surveiller. Là, dit-elle en pointant du bout de son aile l'entrée de son nid, chez moi, ils ont installé un machin qui voit tout, une caméra qu'ils appellent ça. Depuis, je ne peux même plus bouger une plume sans qu'ils le sachent. J'ai plus du tout d'intimité...

— Et le bruit ?

— C'est pour surveiller, quand je sors chercher à manger en forêt.

— Sont sans-gêne, non ? gronda Félix en secouant la tête.

— Tu as raison, mais ils surveillent mes œufs grâce à ce... cet appareil.

— Des œufs ? C't'une chouette nouvelle, ça ! Combien ?

— Deux, cette fois.

— Et Tōitiiti ? je venais pour elle ! bougonna le perroquet en réalisant soudain qu'il n'avait pas toute la nuit devant lui et qu'il retournerait bien chanter aussi vite que possible.

— Oui, que lui veux-tu ?

— Tu m'avais bien raconté qu'elle avait été enlevée par les bipèdes ?

— Exactement ! Tu savais que c'était le plus petit œuf que j'aie jamais vu ?

— Mmh... grommela Félix

— Je t'assure, la moitié d'un œuf normal, et quand elle a éclos... soupira Rakiura en repensant à sa fille et à ses dix-huit grammes, au lieu des vingt-neuf habituels. Si fluette que je pensais qu'elle ne survivrait pas deux jours, comme son petit frère, Mokopuna. Mais elle s'est accrochée, jusqu'à... L'émotion l'empêcha de terminer sa phrase.

— Jusqu'à ce qu'ils t'la piquent! Bon, mais elle est dans le coin, ta fille?

— Tu voudrais la voir?

— Ben oui, pourquoi j'serais là sinon? rétorqua Félix, avec son amabilité légendaire.

— Tu as de la chance, elle a trouvé un logement non loin d'ici. Tu vois le gros rocher, là-bas? lui dit-elle en montant sur une touffe d'herbe pour gagner en hauteur. Tu vas dans cette direction, tu le contournes vers la gauche et ensuite, il y a une grosse souche: tu ne peux pas la rater, elle sera là.

Félix avait déjà tourné le dos et s'apprêtait à partir lorsque Rakiura, d'une voix quelque peu ironique, lui lança:

— Et surtout ne me remercie pas! Et oui, au cas où tu te serais posé la question, tout va bien se passer avec mes deux œufs, c'est une bonne année pour les fruits de rimu, donc ne t'inquiète pas pour mes oisillons.

— Hein, quoi? maugréa le perroquet qui ne comprenais pas trop le sens de la tirade moqueuse de Rakiura. Bien, très bien pour tes poussins! Moi aussi, ça va... Allez, j'peux pas traîner...

— Pffft! il ne changera jamais, soupira la femelle qui retourna dans son terrier en faisant sonner la cloche. C'est bon! je suis rentrée surveiller mes petits, vous pouvez vous reposer, lança-t-elle à l'attention des humains, enfermés avec leur écran récepteur dans une tente cachée par un buisson à quelques mètres de là.

Tandis que Félix tentait de convaincre la jeune Tōitiiti de l'accompagner afin qu'il lui présente quelqu'un de très particulier, au laboratoire Don et Deidre discutaient eux aussi de Sirocco. La tête dans les mains pour l'une, les mains crispées sur la table pour l'autre, tous deux étaient très préoccupés.

— Que va-t-on faire de lui ? demanda Deidre d'une toute petite voix, comme si elle appréhendait la réponse. J'avais espéré...

— Comme toi, je pensais qu'il était enfin devenu un vrai kakapo et nous avait oubliés. Je ne sais pas ce qu'il faut faire, souffla Don en faisant craquer ses doigts.

Ils sirotaient leur thé vert brûlant en tournant chacun les pages de leur carnet et ne pipèrent pas mot pendant une demi-heure. Soudain, Deidre fit un bond sur sa chaise et s'exclama :

— Tu te souviens de l'idée de Solveig ? Et si c'était ça, la solution ?

— Euh... quelle idée ? je ne m'en rappelle pas, lui répondit Don, sans lever les yeux de son carnet.

— Si ! je suis sûre que tu étais là lorsqu'elle en a parlé.

Tout était parti d'une discussion entre bénévoles à propos de Sirocco qui rôdait toujours autour de la maison. Ils disaient à quel point c'était fabuleux de le rencontrer, car c'était leur premier kakapo en chair et en os, et pour certains le seul qu'ils verraient jamais.

— Je ne me rappelle pas de cette discussion, je devais être en train de faire autre chose, dit Don en reposant sa tasse vide.

— Et Solveig a renchéri en qualifiant notre perroquet de super-ambassadeur de son espèce, et blagué en suggérant qu'il faudrait l'envoyer en personne aux conférences pour défendre la cause des kakapos !

— Je ne vois pas où tu veux en venir, Deidre… marmonna Don en passant ses mains dans ses cheveux gris.

— Et si, justement, on l'emmenait aux colloques et autres réunions, pour que le public puisse rencontrer un kakapo et se sentir concerné par sa sauvegarde ?

— Mais tu oublies que, malgré ses problèmes d'imprégnation, ça reste un oiseau sauvage… Et puis ça ne résout rien !

— Il ne voyagerait pas tout le temps. On pourrait l'emmener surtout durant l'été, pour éviter les soucis avec les bénévoles. Allez, je suis certaine que c'est une idée à tenter, asséna-t-elle en faisant de grands moulinets de bras.

Il fallait aider Sirocco. Peut-être pas comme ce dernier l'aurait souhaité, mais il ne fallait pas l'abandonner.

Comme pour répondre à la soudaine détermination de sa collègue, Don se leva pour aller chercher son agenda dans son sac et le posa, ouvert à la page de la semaine suivante, sous les yeux de Deidre.

— Tu crois ? lui demanda-t-elle.

— Si on n'essaie pas, on ne saura jamais... Et puis, c'est à Dunedin cette conférence, ce n'est pas trop loin pour une première tentative.

— Fabuleux ! Demain j'appelle le ministère pour obtenir toutes les autorisations, lança-t-elle en se levant d'un bond de sa chaise. Tu veux une autre tasse de thé ?

— C'est Sirocco qui va faire une de ces têtes en arrivant dans l'amphithéâtre...

Ils avaient trouvé une manière de ne plus parler de la crise d'identité du pauvre perroquet. Ils se sentirent, sans se l'avouer, coupables, soulagés et, curieusement, emplis d'un nouvel espoir pour leur protégé.

Deux soirs après être allé consulter son ami, Sirocco fut de retour, comme prévu, chez Félix. Il eut la surprise de le trouver en compagnie d'une très jolie femelle, au plumage vert éclatant, parsemé de taches jaune vif autour des yeux. Son cœur fit un petit bond et une pointe de jalousie surgit. Et si c'était la compagne de Félix ?

— Bon, voilà : Sirocco, j'te présente Tōitiiti, la p'tite jeunette de cinq ans de Rakiura, l'amie dont j't'ai parlé y a quelque temps.

— Je... oui... bafouilla le jeune perroquet, d'autant que ces présentations à peine faites, son ami l'abandonna pour retourner chanter.

Quoi dire ? Quoi faire ? Il hésita, fit un pas. Et si elle le prenait mal... et s'il avait envie de la chasser ?

— Je... commença-t-il, sans trop savoir où sa phrase allait le mener. Mais il fut aussitôt coupé par la belle Tōitiiti, bien moins timide que lui.

— Ça te dirait, Sirocco, d'aller voir la mer, là-bas, du haut de la falaise ? lui proposa-t-elle en ouvrant les ailes pour montrer la direction.

— Ou... i ! bégaya-t-il avant de la suivre en silence, tout en s'étonnant de son drôle d'accent... un accent presque humain.

Après ce premier rendez-vous où Sirocco ne fut pas capable de prononcer plus de trois mots d'affilée, Tōitiiti vint régulièrement lui rendre visite près de son terrier, afin de l'emmener découvrir des recoins de l'île qu'elle affectionnait particulièrement. Elle lui fit même rencontrer ses voisins, un couple de manchots qui avaient installé leur nid dans la forêt à quelques mètres de chez elle. Au début, le kakapo n'osa pas lui dire qu'il se méfiait de ces créatures, il ne voulait pas la vexer. Puis il parvint presque à oublier l'attaque qu'il avait subie à l'île de la Perle tant ces deux-là étaient sympathiques ; un peu étranges, certes, avec cette démarche sautillante et verticale, mais plutôt rigolos, tout compte fait. Un autre jour, elle le conduisit dans la lande, au-dessus de chez elle, et lui fit même visiter son terrier. Sirocco le trouva un peu petit, mais ne voulut rien dire. Elle l'intimidait trop et il avait du mal à dire quoi que ce soit en sa présence, de peur d'être ridicule.

Au petit matin, lorsqu'il rentrait se coucher, il peinait à trouver le sommeil et se demandait bien pourquoi avec elle ce n'était pas pareil comme avec Bella Rose, par exemple. Il avait envie de passer du temps en sa compagnie, qu'elle continue à lui montrer toute l'île, qu'ils se promènent, papotent, rient, se roulent dans les feuilles et fassent des concours du Skraaark ! le plus sonore ou de saut du haut du rimu penché, à côté du laboratoire. Il se sentait tout triste dès qu'ils se quittaient et sautait de joie lorsqu'ils se retrouvaient. C'était un sentiment qu'il ne connaissait absolument pas. Pourquoi elle ? se demandait-il en essayant de s'endormir.

«Ce serait son petit accent, comme le mien, qui ne ressemble à celui d'aucun autre kakapo? Ou bien le fait qu'elle n'ait pas peur du tout des humains, et n'hésite pas à aller regarder ce qui se passe par la fenêtre de leur maison, comme moi?»

Mystère... Tout ce qu'il savait, c'est qu'il attendait désormais chaque soir de la retrouver, avec une impatience non dissimulée.

13.
La révélation

Un soir, tandis qu'il guettait son amie, Sirocco perçut un bruissement d'ailes juste derrière la baraque en bois qui faisait office de toilettes.

— Tōitiiti, c'est toi ? appela-t-il doucement.

Pas de réponse.

— Tōitiiti ? je ne te vois pas...

— Bonjour, Sirocco, retentit une voix chaude et sonore dans son dos, une voix qu'il ne reconnut pas.

— Euh... bonjour, hasarda-t-il.

— Tu ne te souviens pas de moi ?

— Je... non... je suis désolé, bredouilla-t-il sans oser se retourner.

— Zéphyr, je suis Zéphyr.

— Zéphyr ! s'exclama-t-il en faisant volte-face. Je... je vous ai tellement cherchée.

Sous le coup de l'émotion, il se laissa tomber sur le sol, les ailes à demi déployées, et ainsi assis, dans la mousse, il s'évertua à comprendre ce qui se passait.

La femelle kakapo se dandinait devant lui, lui lançant de petits coups d'œil. Puis, prise d'une quinte de toux, elle lança d'une voix rendue rauque par l'émotion :

— Je... tu dois probablement t'en douter, je... je suis ta mère !

Abasourdi, Sirocco tenta de prendre la mesure des mots que Zéphyr venait de prononcer.

— Ma... ma mère, vous dites ? Mais je croyais que c'était...

— Les humains ? le coupa-t-elle.

— Je... oui !

— Tu venais d'éclore. J'ai à peine eu le temps de te réchauffer sous mon duvet qu'ils t'ont enlevé. Je t'ai cherché, sans relâche, des nuits durant. Il ne me restait plus que toi ! ton frère avait été tué par un horrible kiore deux jours avant. J'avais tout perdu. J'étais seule, dans mon nid, entourée des quelques restes de vos coquilles...

— Je suis désolé. Et vous...

— Tatata ! pas VOUS ! TU ! Je suis ta mère, tu peux me tutoyer, le coupa-t-elle, mi-courroucée, mi-hilare.

— D'accord, murmura-t-il avant de poursuivre sa phrase. Et alors vous... enfin, tu m'as retrouvé comment ?

— J'ai guetté des nuits durant, près de la maison des bipèdes. Si tu savais… j'espérais un petit bruit, n'importe quoi qui me confirmerait que tu étais bien vivant. Mais rien, pendant des semaines, je n'ai rien vu, rien entendu. C'était terrible. Jusqu'à ce jour où ils t'ont fait sortir…

— Tous les jours tu étais là, dehors, à attendre ?

— Oui, Sirocco, tous les jours.

Le jeune perroquet, sous le coup de l'émotion, ne savait plus quoi dire. Lui qui pensait, il y a quelque temps, avoir été abandonné de tous… Il avait désormais trois parents.

Zéphyr vint s'asseoir à côté de lui, frôlant doucement les plumes de son grand garçon avec ses ailes.

— J'ai cru que je ne te reverrais jamais lorsque tu as disparu, ce jour où tu m'as suivie en forêt et où il pleuvait des cordes. Une fois encore, les humains t'enlevaient. Je te perdais pour la deuxième fois.

— Je vous ai… oups, pardon, je t'ai cherchée tous les jours, dès que j'ai pu ressortir, mais sans succès. Même Félix ne t'a plus vue.

— Félix ? Tu veux parler du gros bougon qui vit là-haut, pas très loin du terrier où je t'ai conduit ?

— Oui, c'est bien lui. Je l'ai rencontré en te cherchant et c'est devenu mon ami.

— Ton ami ?…

Zéphyr ne put réprimer un petit sourire et resta un long moment sans parler, perdue dans ses pensées. Sirocco la regarda les sourcils froncés, sur la défensive.

— Ben oui ! même s'il est un peu grognon parfois, c'est mon ami. C'est même le seul que j'ai. Enfin... avec Tōitiiti, aussi.

— Sirocco, sais-tu que... Comment te dire ? Figure-toi qu'il y a quelques années nous nous voyions beaucoup avec Félix. Nous étions très proches.

— Normal, c'était ton voisin !

— Voisin, oui, mais nous étions proches aussi... comment te dire... en amitié ? Oui, c'est ça, en amitié ! renchérit-elle, quelque peu embarrassée.

— Comme moi et...

— Oui, comme toi et cette... comment elle s'appelle, déjà ? Tōitiiti, c'est ça ?

Sirocco hocha gravement la tête.

— Elle est vraiment très chouette, il faudra que je te la présente. Tu sais, elle m'a fait visiter plein d'endroits : la lande à pākihi, dans le grand nord, et puis, ces rochers, d'où l'on peut voir l'océan et... Mais... attends ! qu'est-ce que tu veux dire ?

— Félix... il est... tu ne devines pas ?

— Deviner ? deviner quoi ?

— Si je suis ta mère, Félix ne peut-être que ton...

— ... Ben, c'est mon ami, voilà tout ! je ne comprends rien à ce que tu essaies de dire.

— Eh bien, Félix n'est pas seulement ton ami, c'est aussi ton père. Voilà !

— Mon quoi ? Non ! cria-t-il en tombant une nouvelle fois à la renverse sur le croupion, le bec ouvert, les yeux exorbités. Impossible ! bégaya-t-il d'une voix brisée par l'émotion.

— Si, si, je t'assure. C'est bien lui.

— Et... souffla Sirocco, qui ne parvenait pas à se remettre de ces révélations, il le sait ?

— Non, je ne lui ai jamais dit, rétorqua Zéphyr qui, penchée au-dessus de son fils affalé dans la mousse, agitait ses ailes à la manière d'un éventail pour créer un courant d'air frais, en faisant semblant de regarder le ciel. Lorsque je me suis décidée à le faire, dans l'espoir qu'il saurait où tu étais, je ne l'ai pas retrouvé, ni lui ni personne : vous étiez tous partis.

— Ah ! s'écria Sirocco en se redressant d'un seul bond, c'était quand nous avons déménagé sur l'île de la Perle. D'ailleurs, on se demandait bien où tu étais, personne ne t'a vue.

— J'étais ici, je n'ai jamais bougé. J'avais deux nouveaux œufs à surveiller et je n'ai pas quitté mon nid installé sous une grosse touffe d'herbe à la lisière de la forêt, du côté des marais. Et quand j'ai compris qu'ils n'allaient pas éclore, je suis ressortie... mais les humains vous avaient emportés.

— Ça a dû être horrible! s'exclama le jeune oiseau.

— Oui. C'était une sombre période, murmura sa mère en hochant la tête.

Tous deux restèrent silencieux un moment, perdus dans leurs pensées.

— Et la «dynastie des vents», qu'est-ce que c'est? interrogea Sirocco qui se souvint soudain des mots mystérieux prononcés par Zéphyr lors de leur première rencontre.

— La dynastie des vents... c'est ta famille. Tout a commencé avec ta grand-mère, Nora. Les humains l'ont découverte sur l'île Stewart, avec l'aide d'un chien renifleur. Mandy, il s'appelait. Heureusement, ils lui avaient mis une muselière, car il était extrêmement doué pour nous repérer à notre odeur.

— Stewart? Comme Félix?

— Oui, exactement. Mais Nora, c'était quelqu'un de particulier: c'était LA première femelle qu'ils découvraient! Et ils lui ont donné le nom de ce vent du nord qui souffle si fort. C'était la naissance de la dynastie des vents à laquelle toi comme moi nous appartenons.

— Mais Nora... c'était...

— Ma mère, oui! Et donc ta grand-mère, Sirocco.

— Ah bon ?

Le jeune perroquet avait un peu le tournis, avec toutes ces révélations.

— Figure-toi que l'année suivant sa découverte, les humains l'ont retrouvée, à quelques mètres de leur campement. Dans un nid ! Avec trois poussins. C'était le tout premier nid qu'ils voyaient et qu'ils allaient pouvoir observer. Et l'un des oisillons, c'était moi !

— Et Nora... ma grand-mère... elle vit toujours à l'île Stewart ?

— Non, non ! s'exclama Zéphyr en secouant la tête. Elle est ici, à Whenua Hou, comme nous, comme Hoki, ta sœur.

— Alors, je pourrais... hasarda le jeune oiseau.

— La rencontrer ? Oui, bien sûr ! je ne l'ai pas revue depuis quelque temps, mais sois certain que je te la présenterai ! Et dis-moi, mon petit, c'est chez toi ici ? lui demanda-t-elle en pointant de l'aile la vieille souche près des toilettes.

— Euh... oui, c'est là où je dors.

— Tu me fais visiter ?

— Ben, c'est pas très bien rangé, tu sais, expliqua Sirocco en faisant de grands gestes un peu gauches, comme pour l'inciter à abandonner sa requête.

Mais Zéphyr, pleine de curiosité, n'avait pas attendu la réponse de son fils et s'était déjà ruée dans le petit

nid douillet, sous les yeux éberlués du kakapo, qui se
précipita à sa suite.

14.
L'ambassadeur

Après cette nuit de révélations, Sirocco n'eut plus que deux souhaits : vite retrouver Tōitiiti pour tout lui raconter, et rendre visite à Félix pour lui annoncer qu'il avait enfin retrouvé Zéphyr, et lui faire partager cette incroyable nouvelle qui les concernait tous les deux.

« Quelle tête va-t-il faire ? se demanda le jeune perroquet. Mon père... je n'arrive pas à y croire », se répétait-il en boucle en se balançant sur place, dans sa souche, incapable de dormir tant son excitation était grande.

Il échafauda divers scénarios. Allait-il le lui faire deviner, dans le genre : « Tu ne sais pas ce que Zéphyr m'a raconté... ? » ou bien lui annoncer de but en blanc : « Félix, vous êtes mon père ! »

Plongé dans ses élucubrations, il n'entendit pas Don qui s'approchait en compagnie de Deidre et prit conscience de leur présence au moment où leurs mains l'attrapaient pour le fourrer, une fois encore, dans une boîte.

— Nooooooon! hurla-t-il. Laissez-moi, je ne veux pas repartir! Lâchez-moi, je dois aller voir Tōitiiti et Félix, c'est vital! Skraaaaark!

Il se débattit plus sauvagement que jamais, pinça, griffa, grogna.

— Mais qu'est-ce qui te prend, Sirocco, c'est nous! expliqua Don tandis que sa collègue lui caressait doucement les plumes de la tête. Ne t'inquiète pas, on ne va pas te faire de mal.

— Je veux rester ici! Ne me renvoyez pas à l'île de la Perle! Laissez-moi! hurla encore Sirocco, en proie au désespoir le plus vif, tandis que ses parents adoptifs, interloqués par cette crise, le fourraient rapidement dans sa caisse de transport.

Enfermé dans cette boîte qu'il connaissait trop bien, il se débattit de plus belle, se jetant sur les parois, donnant des coups de bec en tentant de déchiqueter le bois autour des trous d'aération. Il n'avait pas remarqué que cette fois-ci, la caisse était garnie d'un confortable revêtement en tissu rembourré et que, dans l'un des coins, une mangeoire était suspendue, garnie d'un mélange de noix, noisettes et amandes qu'il adorait quand il était poussin. Il se fichait de toutes ces fioritures, il voulait juste sortir!

Mais il eut beau y mettre toute son énergie, rien n'y fit : il était bel et bien prisonnier. Recroquevillé dans un coin, la tête baissée, il imagina le pire. Lui qui venait enfin de retrouver sa vraie famille et de se faire une amie...

Il se sentit bringuebalé, mais n'eut même pas envie de regarder par les trous pour savoir où les bipèdes l'emmenaient. Finalement, même ses parents adoptifs le trahissaient. Félix avait raison, ils étaient tous mauvais, ces humains !

Il ne vit pas l'avion qui l'attendait sur la plage, et ne prêta même pas attention au décollage, trop occupé à ruminer ses sombres pensées. Maintenant qu'il l'avait retrouvée, il ne pouvait pas imaginer être séparé de sa famille, ni de sa Tōitiiti. « Qu'est-ce que je vais devenir ? » se lamenta-t-il. S'il avait été humain, il aurait pleuré à chaudes larmes.

L'avion se posa à Invercargill, la ville la plus au sud de toute la Nouvelle-Zélande. Là, sur le tarmac, un autre avion, beaucoup plus imposant que le bimoteur qui effectuait la navette avec Whenua Hou, attendait le groupe. Les membres de l'équipage et le pilote formaient une haie d'honneur devant la passerelle d'embarquement et saluèrent, un grand sourire aux lèvres, l'arrivée de Sirocco, qui boudait au fond de sa boîte et ne prêtait aucune attention à ce qui se passait autour de lui.

Une fois dans l'avion, Don et Deidre ouvrirent la caisse et installèrent le perroquet à l'humeur massacrante dans une boîte garnie d'un épais coussin, dont le couvercle s'entrouvrait, et la posèrent sur un des sièges de première classe. Ce nouvel environnement, totalement inconnu, fit sortir Sirocco de sa torpeur.

— Où suis-je ? se demanda-t-il en observant cette grande pièce de forme étrange où s'activaient des bipèdes tout de noir et de vert vêtus.

Soudain, un puissant ronronnement fit vibrer jusqu'à sa caisse et, pétri de peur, l'oiseau n'osa pas bouger une seule plume. Deidre tenta bien de poser la main sur sa tête ronde, mais un coup de bec en traître l'en découragea d'emblée. L'oiseau resta ainsi figé pendant tout le vol qui, heureusement, ne durait que trente-cinq minutes. Il ne toucha même pas une noix ou une amande servies par les hôtesses de l'air.

À l'arrivée, il fut replacé dans sa caisse de transport, après que chaque membre du personnel de bord fut venu le saluer. Sirocco ne comprenait pas vraiment ce qui se passait et pourquoi tous ces humains venaient lui faire les yeux doux. Mais dans un coin de sa tête, il se remémorait les paroles de son père, pleines de colère, de fierté, évoquant l'histoire des kakapos : « On est des survivants ! »

À peine les portes de l'avion franchies, il entendit une immense clameur et, estomaqué, plaqua ses yeux contre une des ouvertures d'aération de la boîte pour voir de quoi il retournait.

Au pied de l'escalier, une foule s'était amassée. Tous habillés en vert et jaune, les dizaines d'humains regroupés applaudirent à l'apparition de Sirocco, pourtant invisible au fond de sa caisse : ils agitaient de drôles de kakapos inertes, semblables à celui du laboratoire, des fanions et de grandes banderoles sur lesquelles il crut reconnaître des dessins de kakapo. Bizarre... « Qu'est-ce qui se passe, ici ? » s'interrogea-t-il lorsque Deidre empoigna la caisse. Il tenta de trouver une meilleure position dans la boîte pour observer, malgré les soubresauts infligés par le transport.

Après une courte virée en voiture, Don, Deidre et Sirocco arrivèrent devant Ōrokonui, une forêt confetti de quelques kilomètres carrés, à peine plus grande qu'un parc, située tout près de la ville et transformée en éco-sanctuaire, véritable musée à ciel ouvert où les visiteurs pouvaient rencontrer des espèces typiques des forêts de Nouvelle Zélande. En descendant de la voiture, Sirocco se redressa brusquement sur ses pattes. Ces odeurs, ces sons... il les connaissait. Un coup d'œil dehors lui confirma qu'il était bien arrivé dans une forêt où gazouillaient des tuis, des pitohuis, des kākās et d'autres oiseaux qu'il côtoyait à Whenua Hou. Et ces senteurs de pourriture si caractéristiques du sous-bois... Il inspira de grandes goulées d'air et se sentit presque rassuré, même s'il se demandait toujours où il allait et s'il pourrait revoir Zéphyr, Félix et Tōitiiti.

Cette expérience sensorielle ne dura que quelques minutes, le temps pour Don et Deidre, élégamment habillés d'un costume sombre et d'une robe, d'atteindre la salle de conférence où une centaine de personnes les attendaient, parmi lesquelles ils retrouvèrent le comité venu les accueillir à l'aéroport.

« Qu'est-ce que c'est que ce bazar ? » se répéta l'oiseau en voyant tous ces humains taper dans leurs mains en faisant un boucan d'enfer, au moment où ses parents adoptifs le sortirent de sa caisse pour le poser sur une grande table recouverte de mousse, de feuilles et parsemée de graines.

D'abord pétrifié et faisant sa tête des mauvais jours, regard baissé et grattant la table de frustration avec ses grosses pattes, Sirocco s'aperçut soudain que tous les regards étaient braqués sur lui tandis que Don et Deidre parlaient. Derrière eux, des photos de Whenua Hou et des autres kakapos défilaient.

— Mais... c'est Félix! Félix!! cria-t-il en relevant brusquement la tête et en se déboîtant presque les épaules lorsqu'il vit son ami apparaître sur le mur.

L'image ne bougea pas : elle fut remplacée par une autre.

— Skraaaark!

C'était un cri de déception.

Mais un «Waouh!» d'émerveillement s'éleva dans la salle.

— Zéphyr! s'exclama-t-il en voyant maintenant une photo de sa mère, près du grand rimu qu'il connaissait si bien, pour l'y avoir tant cherchée.

Nouveau «wahou!» dans la salle, suivi d'une salve d'applaudissements.

«Ils sont complètement fous! Mais... c'est moi qui les fais crier?» s'interrogea soudain Sirocco en retentant l'expérience.

«Skraaaaark!» lance-t-il plus fort, en fixant l'assemblée et faisant mine de glisser par mégarde sur les feuilles disposées sur la table.

Nouvelle vague de «wahou!» entrecoupée de gloussements à demi dissimulés, le public ne sachant pas si la chute était accidentelle ou calculée.

Incroyable !

« Skraaaaark ! » s'époumona-t-il une nouvelle fois, tout en bondissant de joie sur la tête de Deidre, légèrement penchée près de la table où il se tenait.

Cette fois-ci, une crise de fou rire fit vibrer la salle entière.

Le jeune perroquet, fasciné par les réactions que ses pitreries suscitaient et ce dialogue qui lui permettait d'oublier son chagrin, se mit à converser de plus belle avec son public sous les yeux ébahis de Don et Deidre, qui en oublièrent de parler et de continuer à passer les diapositives.

Emballé par l'expérience et ce fabuleux échange avec l'un des tout derniers kakapos survivants, le public se rua à la fin de la conférence vers la petite table installée au fond de la salle où ils pouvaient, grâce à un don, participer à la sauvegarde de ce « perroquet-hibou » tout à la fois étrange et comique. Certains demandèrent des affiches de Sirocco, d'autres s'enquirent de la date de la prochaine conférence. Des enfants souhaitaient des tee-shirts à l'effigie de leur nouveau héros et des photos dédicacées.

— Tu vois que c'était une super idée ! lança Deidre à Don, une fois qu'ils furent confortablement installés dans l'avion qui les ramenait vers Invercargill puis sur Whenua Hou.

— Fabuleux, jamais je n'aurais imaginé que les gens se mobiliseraient autant pour venir voir Sirocco ! C'était incroyable. Et quel soutien pour nos actions de protection de l'espèce !

— Oui, moi non plus je n'aurais pas pensé qu'il puisse y avoir un tel engouement. C'était vraiment génial. Et Sirocco, quelle star ! tu as vu comment il a paradé et fait le pitre devant son audience ?

— Il m'a totalement bluffé.

— Tu savais que Solveig avait ouvert une page Facebook au nom de Sirocco ?

— Non, tu ne m'en as jamais parlé.

— Eh bien, figure-toi que j'ai regardé juste avant d'embarquer : depuis qu'elle l'a créée, notre perroquet a plus de vingt et un mille fans à travers le monde ! vingt et un mille, tu te rends compte !

— Alors là... ça me laisse sans voix ! rétorqua Don.

Dans sa boîte, Sirocco ressassa toutes les aventures qui venaient de lui arriver. Il comprit, avec une fierté non dissimulée, que c'était lui que tous ces gens étaient venus rencontrer lorsque, à la fin de la conférence, ils arrivèrent, un par un pour le saluer, lui offrant même pour certains un gâteau aux fruits de rimu ou quelques baies séchées. Mais, malgré ce succès, il ne put s'empêcher de penser à son île et tout ce qu'il avait dû abandonner à cause de ces humains. Harassé par ce flot d'émotions et d'aventures, Sirocco s'endormit à peine placé dans sa boîte et ne vit pas qu'il était désormais dans le bimoteur qui le ramenait chez lui.

Le bruit de la porte latérale qui s'ouvrait réveilla le perroquet en sursaut.

«Hein... Quoi? Je suis où?» s'interrogea-t-il en se sentant de nouveau ballotté tandis que sa boîte était déchargée du ventre de l'avion.

«Mais...? On dirait... Non! Je... Je suis rentré?» s'étrangla-t-il en voyant la plage blanche et, devant, le ruban vert de la forêt.

«C'est un rêve!» se persuada l'oiseau qui ne pouvait croire à ce miracle et tentait de se pincer l'aile avec son bec pour vérifier.

Il dut vite se rendre à l'évidence. C'est bel et bien Whenua Hou! Il était chez lui!

Il sautilla de joie, faisant trembler la boîte.

— Doucement, Sirocco! lui lança Don, tu vas te faire mal. Tu es bientôt arrivé, patience!

Deidre rit de joie, elle aussi.

— On est fiers de toi, mon Sirocco... si tu savais à quel point !

La porte du laboratoire à peine ouverte, le perroquet qui ne cessait de donner des coups de griffe et de bec d'impatience à ses parents adoptifs depuis qu'il avait été libéré de sa cage, se précipita dehors en courant.

« Chez moi, je suis rentré chez moi ! »

Il se roula dans la mousse et se délecta de cette odeur humide qui colle aux plumes. Il s'ébroua, recommença...

« C'est bon ! »

Soudain, il se figea, se sentant observé. Un regard à droite, un regard à...

— C'EST PAS POSSIBLE ! s'exclama-t-il en apercevant, derrière une large touffe de dracophyllum, quatre têtes vertes qui le regardaient en souriant. Quatre têtes de kakapo qu'il avait eu si peur de ne jamais revoir...

Il était si heureux de retrouver Zéphyr et Félix, mais aussi son amie et Richard Henry – qui avait abandonné son air hautain pour frapper des ailes en criant des « Skraark ! » de bienvenue – qu'il ne put articuler un mot ou bouger d'une patte. C'est finalement Richard Henry qui s'avança vers lui et ouvrit le premier le bec :

— Bienvenue, cher damoiseau. Nous sommes très heureux de vous revoir, et surtout nous sommes très fiers de vous. Vous êtes l'honneur des kakapos !

— Je... honneur?... bafouilla Sirocco. Mais...

— Pas de MAIS, cher ami! Tōitiiti nous a tout raconté.

— Tōitiiti? mais comment?

— Je suis allée espionner du côté des humains, Sirocco, répondit la jeune femelle en faisant un clin d'œil appuyé à ses compères. Et je les ai entendus parler de tout, de ta conférence, de ton succès. Grâce à toi, les kakapos auront probablement une nouvelle chance...

— Nouvelle chance? Moi? Mais... j'ai juste fait le clown, lança-t-il d'un air gêné. Ce qui a pas mal fonctionné d'ailleurs, ajouta-t-il en lissant innocemment une plume froissée, mais je n'ai rien fait de plus, ajouta-t-il d'une petite voix hypocrite.

— Taratata! Pas de modestie, cher ami, le coupa Richard Henry, approuvé par Félix et Zéphyr qui hochaient la tête en chœur. Nous savons exactement quelle prouesse vous avez accomplie et comment, avec brio, vous nous avez tous représentés, nous, les derniers des kakapos. Pour célébrer votre retour et votre réussite, que diriez-vous d'un petit festin près du grand rimu de votre enfance?

Trop ému par cette avalanche de louanges et ce nouveau statut de représentant des kakapos, Sirocco se tut.

Guidé par Tōitiiti, qui avait délicatement posé son aile sur son dos, courbé de timidité après tant d'éloges,

Sirocco, suivi de la petite troupe, s'enfonça dans sa forêt bien-aimée.

Note de l'auteure

Aujourd'hui, il reste moins de cent cinquante kakapos (kākāpō en māori!) en Nouvelle-Zélande. Ce sont
les seuls et derniers représentants d'une incroyable
espèce de perroquets qui abondaient autrefois, avant
que les hommes ne les chassent après avoir apporté
avec eux, dans les cales des navires, rats, chiens, chats,
belettes...

Sirocco, Félix, Zéphyr, Tōitiiti, Richard Henry et les
autres kakapos ne sont pas seulement des héros de
papier, mais des oiseaux en chair et en os qui, à l'exception de Richard Henry, décédé il y a peu de temps,
gambadent en ce moment même dans les forêts des
îles de Whenua Hou, d'Anchor et de Hauturu (île de la
Petite Barrière, connue également sous le nom de Little
Barrier).

Bien que quelques libertés aient été prises pour narrer leurs aventures et mésaventures, un grand nombre d'évènements décrits dans les pages de ce roman ont bel et bien eu lieu : les menaces causées par les rats, les furets, les chats, le déménagement provisoire sur une autre île afin de débarrasser Whenua Hou de ses prédateurs, les efforts au XIXe siècle du grand naturaliste Richard Henry... Quant à Sirocco, il a bien failli mourir à la naissance et été recueilli et élevé à la main par les scientifiques. Son imprégnation a causé divers problèmes et il est désormais un formidable ambassadeur des kakapos, voyageant régulièrement à travers la Nouvelle-Zélande. On peut suivre ses aventures sur sa page Facebook.

Pour en savoir plus et aider à la sauvegarde de ces fabuleux oiseaux :

http://kakaporecovery.org.nz/

Quant à Don et Deidre, ils sont inspirés de personnes réelles qui vouent leur vie à la préservation de ces extraordinaires oiseaux. Ce roman est un hommage à leur remarquable travail, et à celui de toute l'équipe qui œuvre pour sauver les kakapos de l'extinction.

Skraaark !

L'auteure

Petite, Emmanuelle Grundmann rêve d'Amazonie, de singes et d'oiseaux chamarrés. À l'âge de six ans, elle décide de devenir éthologue. Ses études la conduisent dans la forêt de Bornéo, aux côtés des orangs-outans, sur lesquels elle écrit une thèse avec le concours du Muséum national d'Histoire naturelle. Mais c'est finalement à l'écriture qu'elle choisit de se consacrer pleinement, grâce à son grand-père, imprimeur, qui lui a transmis la passion des livres. De ses voyages, elle ramène de fascinantes histoires d'animaux et de plantes ainsi que des témoignages sur la déforestation ou les menaces pesant sur la biodiversité.

Elle a collaboré, entre autres, avec Fleurus, Milan et les éditions du Seuil, et a publié des essais chez Calmann-Levy.

Dans la même collection

Le Chant de la Grande Rivière
Tom Moorhouse

Traduit de l'anglais par Michelle Nikly
Illustrations de Ping Zhu

Sylvan, un tout jeune campagnol, est le plus téméraire de sa fratrie. Leur mère, Daphné, veille sur lui et ses frère et sœurs et sur son territoire avec une vigilance de chaque instant. Sylvan n'a qu'une idée : quitter enfin la douceur de son terrier pour faire la connaissance de Sinéthis, la Grande Rivière dont le chant l'accompagne depuis sa naissance – et ce jour est arrivé ! Mais, peu après, Daphné reçoit une visite fort inquiétante : Elon, un voisin, la met en garde contre le terrible prédateur qui rôde le long des rives...

Un roman qui allie suspense et poésie, par un zoologiste spécialiste des campagnols.

L'Incroyable Destin de Quentin libellule
Gwenaël David

Illustrations de Ping Zhu

Quentin est une libellule rouge, intrépide et curieuse, qui vit sur un bassin artificiel, aux abords d'une grande ville. Le jeune insecte doit vite apprendre à se débrouiller seul, découvrant avec stupéfaction à quel point le monde est immense, peuplé de créatures surprenantes et, surtout, empli de dangers. Pourtant, que la vie lui semble douce, entre ses nouveaux amis et la recherche de cette autre qui lui ressemble sans doute : une femelle de son espèce...

Un roman plein de drôlerie avec un héros libellule en pleine métamorphose, par un entomologiste passionné.

hélium

Pour nous contacter :

hélium
18, rue Séguier – 75006 Paris
Tél. : 01 45 87 99 15
info@helium-editions.fr

Rendez-vous sur notre blog :
nouvelles-des-livres-helium.blogspot.com

Pour envoyer votre projet :
manuscrits@helium-editions.fr

Diffusion Actes Sud

Cet ouvrage a été composé par Actes Sud
à Arles

Imprimé en France en février 2014
par l'Imprimerie Jouve à Mayenne
Nº d'imprimeur : 2149678J
Dépôt légal : avril 2014